JN093794

図解入門ビジネス

Shuwasystem Business Guide Book　How-nual

最新 データ流通ビジネスがよ〜くわかる本

データの流通と取引を多角的に解説！

一般社団法人データ流通推進協議会 監修

秀和システム

はじめに

「現代の石油」と信頼(Trust)

データは、現代社会における最も重要な資産です。石油にそのまま置き換えられるものではありませんが、その価値と発展性から"Data is the New Oil"ともいわれます。

初めて「石油」と表現された2011年から10年近くを経て、本書でも概観する通りデータ活用の技術環境は整いつつあり、「データ流通」も新たなステージを迎えています。他方、「現代の石油」が「信頼」とともに流通し活用されるためには、様々なレイヤーや領域で課題も浮上しています。石油とは異なり、排他的所有ができず、無限に複製可能な無形資産であるデータの流通には、石油以上に信頼(Trust)が重要です。そのため、約定や制度などのルールが欠かせないからです。

ビジネスでのデータ流通においては、有償にせよ無償にせよ、取引するデータの中身に対する信頼が欠かせません。データは物理的な商材と違ってその値自体に価値を持つため、鮮度や粒度、範囲、正確さなどについて提供者と受領者が対称な情報に基づき価値に対する合意を形成し、相互に納得した上で取引する必要があります。流通市場、取引市場に対する信頼も不可欠です。石油の取引と同様に、原油のまま入手したいケースもあれば、灯油やポリエチレン、あるいは包装容器に加工された石油製品がほしいケースもあるでしょう。原油を売る人もいればそれを加工販売する人も、もちろん活用者も市場の参加者です。そして参加する誰もが商材であるデータの価値について合意できるために、技術や市場のルールが求められています。

パーソナルデータ活用においては特に、「データは誰のものか?」という点における、社会やビジネスと生活者一人ひとりの信頼、そして信頼に基づく合意が課題です。行政機関や病院、学校にせよ、GAFAに代表されるプラットフォーマーや個々の企業にせよ、パーソナルデータはビジネスと生活者とが関わる営みの中で生成されていきます。商材の購買や使用、ウェブサイトの閲覧、移動といった行動を営む生活者と、営みを通じて生成されたデータの提供者、活用者は、どのような関係であれば、相互に信頼を担保できるでしょうか。社会全体としては、コロナ禍をふまえ、公衆衛生に代表される「公益」と生活者やデータビジネスとの信頼関係にもフォーカスが当たっています。

信頼とデータ流通推進協議会(DTA)

個人同士の関係がそうであるように、「信頼」の築き方に唯一無二の「正解」「王道」は存在しません。他方、データ流通という潮流に参加を求められる関係者たちが、信頼をより深めていく努力は可能です。信頼を深める手段は、データの価値を表現する記述方法などの技術かもしれないし、取引市場そのものや市場参加者に対する資格認定の整備、あるいはデータ活用の実践によってもたらされる便益のベストプラクティスを示していくことかもしれません。ときに国境を超えて流通するデータの活用しやすさが信頼されるためには、一定の標準も必要です。

2017年6月に私たち一般社団法人データ流通推進協議会(DTA)が発足した趣旨は、まさに「データ提供者が安心して、かつスムーズにデータを提供でき、またデータ利用者が欲するデータを容易に判断して収集・活用できる技術的・制度的環境を整備すること」です。私たちはこうした多くの課題、そしてビジネスニーズや技術進化とともに課題は変化し続けることを認識した上で、誰ひとり取り残さないデータ流通社会の実現と持続的発展へ向けた活動を続けています。

本書について

本書は、DTAの取り組みに根ざしながら、データ流通の現在地と来るデータ流通社会に欠かせない「信頼」構築へ向けた道筋を示します。第1章ではデータ流通、活用の動向、第2章ではデータ流通ビジネスを取り巻く環境を概観します。パーソナルデータ流通のための枠組みとして、第4章ではパーソナルデータストア、第5章では情報銀行を紹介します。また第6章では内外のデータ流通ビジネスに関する法律と制度に触れます。第7章ではデータ流通の場であるデータ取引市場に関して機能や定義を解説した上、第8章でその実例を示します。さらに第9章では、データ流通ビジネスの課題と展望を提示します。データの記述や処理に関しては深く立ち入りませんが、データ流通と信頼の観点で知っておいていただきたい技術の概要と動向については、第3章で簡単に説明を加えました。

40年の歴史*を持つ「データ流通」は、技術や制度、市場ニーズや生活者意識といった様々なレイヤーでの変革を背景に、本格到来のときを迎えています。変革は今後も続き、本書の内容も一部は陳腐化を免れないでしょう。ただ、信頼あるデータ流通が持つ社会基盤としての本質的な役割は普遍です。本書では最新動向にも触れながら、そうしたデータ流通の本質をお伝えしたいと考えます。データビジネスやデータ活用の担い手として、またデータ流通社会の参加者として、データ流通への関心と理解を深め、よりよい未来をともに目指していただくきっかけになれば幸いです。

2020年8月　一般社団法人データ流通推進協議会

＊**40年の歴史**：第1章参照。

How-nual 図解入門

図解入門ビジネス 最新 データ流通ビジネスがよ～くわかる本

CONTENTS

第5章 情報銀行

第6章 データ流通ビジネスに関連する法律・制度

第7章 データ取引市場

第1章

データ流通、活用の動向

2011年頃、データは、インターネットにおける新しい石油であり、デジタル世界における新たな通貨であると言われていました。しかし、データ自体は原油であり、海底に眠る大量の原油を掘り起こして採取するには「石油プラットフォーム」が必要であると同様に、「デジタルプラットフォーム」で処理をし、利用可能なデータへと加工する必要があります。昨今、その「デジタルプラットフォーム」を運用する一部の巨大企業がデータを独占するのではなく、データを流通させる動きに世界はシフトしています。この章では世界と日本における「データ流通、活用の動向」についてご紹介します。

1-1 データ流通時代の本格到来

「データ流通(Data Flow)」は、新しい概念ではありません。「データは新しい石油」といわれてからも10年近くが経とうとしている今、なぜあらためてデータ流通なのでしょうか。動向の本論へ入る前に、データ流通が期待され注目される背景を振り返っておきます。

古くて新しい「データ流通」

「データ流通（Data Flow)」という言葉が日本のメディアに登場したのは1980年。郵政省（当時）が、OECDを中心に進んでいた国際データ流通に関するガイドライン（OECD Guidelines on the Protection of Privacy and Transborder Flows of Personal Data*)策定の動きを受けて調査を開始し、『昭和57年版通信白書*』が初めて「国際間データ流通」対応の必要性に言及しました。米国ではこれに先立ち1970年代から、日本では1980年代初頭から、新聞社などの大手コンテンツプロバイダーがデータ販売ビジネス*を開始しました。

システムからの解放とデータ処理の多様化

それから40年。世界は今、産官学民の生成し続ける多様で大量のデータを、社会全体が活用できるデータ流通時代を迎えています。インターネットとスマートフォンなどのモバイルデバイスはビジネスや生活シーンで生成されるあらゆるデータの流通を実現し、クラウド技術は機能分散によって膨大なデータの蓄積と

＊…**Data**：1980年発表、2013年改定。プライバシーに関するOECDの取り組みの礎（cornerstone）と位置づけられる。https://www.oecd.org/internet/ieconomy/oecdguidelinesontheprotectionofprivacyandtransborderflowsofpersonaldata.htm

＊**昭和57年版通信白書**：郵政省（当時）が発行。ブロードバンド元年といわれた2001年（平成13年）版から現在の『情報通信白書』に改称。https://www.soumu.go.jp/johotsusintokei/whitepaper/ja/s57/html/s57a01020203.html

＊**データ販売ビジネス**：例えば、LexisNexisは1973年、日経テレコンは1984年からサービスを開始している。

＊**カタログ**：3-7、3-19参照。「誰（どのシステム）が」「いつ」「どこで」「誰（どのシステム）に向けて」「どのような目的・理由で」「どのようなものを」「どのようなツールなどを用いて」「どの基準を参照し」作成し、「どう運用されている」データセットなのかといった、データ活用や管理のための情報を記載する。データ流通推進協議会「データカタログ作成ガイドラインV1.1（中間とりまとめ）」では、「データの所在や内容等の概要情報を項目別に記入する書式の総称」と説明している。

処理を可能にしました。特定業務のためスクラッチ開発されたシステムに閉じ込められてきたデータはシステムから解放され、データだけをシステムと別に活用できます。システムが担う業務とは別の目的で、データを自らあるいは誰かから入手したり、逆にビジネスや生活の結果生まれたデータを、誰かに販売したり譲ったりすること—すなわち「流通」の実現です。活用し得るデータは流通によって飛躍的に増大します。データ流通に必要なカタログ*や検索などの機能実装も技術的には格段に容易になり、生活者からプラットフォーマーまで、データ流通市場の参加者も多様かつ膨大になりました。

次世代通信規格5Gはさらに、データが流通するネットワークという通路を4Gの10倍に広げ、超高速、多数同時接続、超低遅延を実現。リアルタイムでユーザーへ便益をフィードバックするエッジコンピューティングはビジネスとユーザーの関係を劇的に変化させます。AIは多様なデータの処理ハードルを下げ、デジタルツイン*やAR・VR*は人間に頼ってきた現実空間の医療や製造に変革をもたらそうとしています。生活においては本書でとりあげるパーソナルデータストア（第4章）や情報銀行（第5章）などの仕組みを通じ、誰もがデータの恩恵を享受できる環境が整備されつつあります。

データ流通の新たなステージへ

こうしたデータのライフサイクル*、すなわち生成または取得、移動、変換及び格納、維持及び共有、利用または適用、廃棄に伴う技術が格段に進化したことが、古くて新しい「データ流通」があらためて注目されるゆえんです。「データ流通」の概念はそうした技術進化を背景に、また本書でとりあげる様々な政策や法制度の後押しを受けて、2019年8月ダボス会議で安倍首相が提唱した「信頼ある自由なデータ流通（Data Free Flow with Trust：DFFT）*」へ向けた取り組みへと継承されています。

---

* **デジタルツイン**：機器や工場設備などの物理空間に実在するモノを、サイバー空間のコンピューター上に再現した「双子」の意。物理的な機器、部品などの計測データや、計測データに基づきはじき出された仮想計測データを解析・シミュレーションすることにより物理空間のモノによりよい設計や環境、動作指示を与え、モノやモノの動作を改善する。
* **AR・VR**：AR（Augmented Reality）は現実世界にデジタルデータを重ね合わせ拡張する。VR（Virtual Reality）は「仮想」の名の通り現実にはない世界をサイバー空間に作り出す。
* **データのライフサイクル**：データマネジメント知識体系ガイド第二版の定義に基づく。欧州一般データ保護規則では「取得、記録、編集、構造化、保存、変更、復旧、参照、利用、移転による開示、周知または周知可能にする行為、整列または結合、制限、消去、破壊」を処理と定義している。
* **DFFT**：1-4参照。

あらゆるデータが「現代の石油」として活用され得る社会では、今後も続く一層の技術進化を前提にしつつ、誰ひとり取り残さず「信頼」できるデータ流通のあり方を、可能な限り多様な人々が集い継続的に検討し調整していく必要があります。常に完璧なゴールというものは存在しませんが、ゴール達成へ向けたたゆまぬ歩みは、すでに始まっています。データ流通は今、新たなステージを迎えているのです。

データ流通により新たな価値が創造される

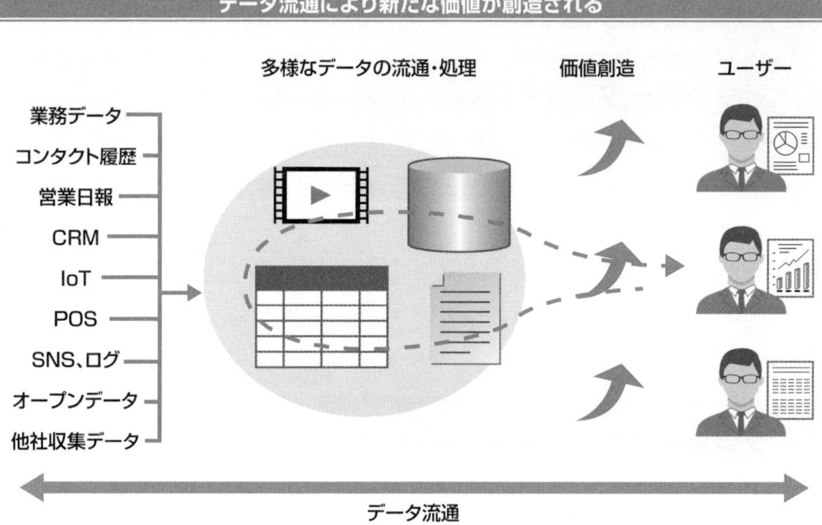

1-2 データ流通をめぐる世界の現状

2016年頃から頻繁に使用されるようになった、「GAFA」という用語。データ流通をめぐる世界の現状を把握するには、この「GAFA」に関して知る必要があります。

バーチャルデータを大量に収集するビジネス

米国大手多国籍IT企業の4社、Google、Amazon、Facebook、Appleのそれぞれ頭文字を組み合わせて「GAFA」という用語ができました。

彼らは、いち早く魅力的なサービスを創造し、法制度が追いついていない中、猛スピードで日々新たなサービスを提供し、サービス利用者のバーチャルデータを大量に収集・活用することで勝者になりました。

そして、GAFA間の競争、続々と生まれる後発企業との競争で生き残るために、彼らも次なる戦略として、当然のようにリアルデータの領域に進出する動きを始めています。

各国におけるパーソナルデータへの対応状況

前項で「法制度が追いついていない中」と述べましたが、そもそも米国政府は自由競争と静観し、個人情報保護を包括的に扱う連邦法もありません。

中国では「データは国家のものである」という考え方で、13億人を超える国民の情報を収集し、原則国内に保存、国民の様々なデータを一元的に収集及び評価する「全国信用情報共有プラットフォーム（全国信用信息共享平台）」を構築、一党独裁体制の維持・強化に利用しています。

EUでは「消費者が自分のデータを自分でコントロールできるようにする」という考え方をベースに、前述のGAFAをはじめとする巨大プラットフォーマーによるデータ囲い込みに対する対抗措置として、2018年5月に「EU一般データ保護規則(General Data Protection Regulation、以下GDPR)」が適用開始されました。

これにより、EU域内で事業活動を展開する企業は、パーソナルデータ取得および処理、さらに域外への移転に関しても厳しい制限が課せられることになりました。

GDPR施行時において、我が国の個人情報保護規則は、EUと同水準にあると認められていなかったため、個人データの越境移転が困難な事態に陥り混乱を招きましたが、その後、EUと日本の間で十分性の認定がなされたことにより、越境移転規制はなくなりました。

2018年5月のGDPR適用開始から2年余りが経過しましたが、大きな制裁金が科された事例もいくつか出てきています。2019年7月、ブリティッシュ・エアウェイズ社は、顧客情報の流出、セキュリティの微弱性を理由に1億8,339万ポンド、また、2020年3月、グーグル社は、データ主体による検索結果削除の要求に応じなかったという理由で、7,500万クローナという多額の制裁金をそれぞれ科せられました。

海外のデジタルプラットフォーマーの保有するデータの状況

Google	・Googleでの検索回数は、1日に55億回（1分で380万回） ・YouTubeでは、1日に65年間分（1分で400時間）の映像がアップロード ・Googleフォトでは、1年で13.7ペタバイトの画像がアップロード ・Googleが保有するデータセンターのストレージ容量は10～15エクサバイトという試算も存在
Amazon	・Amazonでは、3億人を超える顧客情報を保有し、1年で50億個以上※1の商品を販売
Facebook	・Facebookでは、1日に3億5000万枚の画像がアップロードされ、1日に4ペタバイトのデータが生成
Alibaba	・Alibabaでは、6億人を超える顧客情報を保有し、1日で10億超※2の商品を販売

※1　プライム会員（約1億人）のみを対象とした数値
※2　「独身の日」（11月11日）の特別セール

KB（キロバイト）→（×1000）MB（メガバイト）→（×1000）GB（ギガバイト）→（×1000）TB（テラバイト）→（×1000）PB（ペタバイト）→（×1000）EB（エクサバイト）

出典：総務省 AIネットワーク社会推進会議 AI経済検討会（第4回）事務局説明資料「AIへのデータ利用の状況」（平成31年3月13日）

日本の重点産業分野から見たGAFAによるリアルデータ収集の動向

	日本の重点産業分野	Google	Apple	Facebook	Amazon
領域A	医療	○	○	○	○
	介護	○	○	○	○
	AI次世代家電	○	○	○	○
	デジタル・ガバメント	○	○	○	○
	中小企業の生産性革命	○	○	○	○
領域B	自動運転・公共交通のスマート化	○	○		○
	健康	○	○		○
	スマートバイオ	○	○		○
	エネルギー転換・脱炭素化	○	○		○
	Fintech／キャッシュレス	○	○		○
	インフラ管理の高度化	○	○		○
	スマート農林水産業	○	○		○
領域C	宇宙	売却,△	△	○	○
	AI次世代ロボット	売却,解散	○		○
	航空機	○			○
	PPP／PFI手法の導入加速	○			○
	スマートシティ	○	△	△	△
	スマートマテリアル	○	△		
	観光・スポーツ・文化芸術	△	△	△	△
	サプライチェーン（製造、卸売、小売）	△	△		△

領域A:GAFAのすべてが進出済みでありGAFA間競争も激戦となっているレッドオーシャン領域（5分野）
領域B:Facebook社を除く3社が進出しておりレッドオーシャンになりつつある領域（7分野）
領域C:0～2社しか進出していないブルーオーシャン領域（8分野）

出典:総務省　AIネットワーク社会推進会議　AI経済検討会（第4回）事務局説明資料「AIへのデータ利用の状況」（平成31年3月13日）

1-3 データ流通をめぐる日本の現状

日本では2016年12月に「官民データ活用推進基本法（以下、官民データ法）」が施行されたことが大きな転機となり、データを利活用させることによる新たなビジネス創出について積極的に議論されるようになりました。

データ流通をめぐる日本の動き

前節で述べたように、データビジネスの世界は、バーチャルデータ取得からリアルデータ取得に移ってきました。

つまり、健康や医療、製造現場、農業など、「現場＝リアル」が主戦場です。

モノづくり大国である日本は、製造業における「カイゼン」をはじめとするノウハウや現場力において世界でもトップクラスですので、それを活かすことにより日本がトップに立つチャンスです。そのためには、デジタル化やデータ活用の基盤整備を進める、新たな政策対応が必要です。

我が国発の情報銀行とデータ取引市場

「情報銀行*」は個人との契約などに基づき、個人情報が含まれるパーソナルデータを預かり、個人の代わりに第三者の事業者にパーソナルデータを提供する仕組みです。この「情報銀行」を社会実装するために、一般社団法人日本IT団体連盟が、2019年6月に情報銀行の認定事業を開始しました。

「データ取引市場*」は、データ保有者と当該データの活用を希望する者を仲介し、売買などによる取引を可能とする仕組み（市場）のことで、一般社団法人データ流通推進協議会（以下、DTA）が検討を進めており、2018年9月に「データ取引市場運営事業者認定基準_D2.0」を策定し公開しました。

データの生成・収集・整理・保管・加工・配備などを行うデータ提供者と、これらのデータを利用し、事業やサービスを展開するデータ利用者の間で、中立・公平にデータ取引の決済と仲介を行うデータ取引市場を運営するデータ取引市場運

＊**情報銀行**：第5章参照。
＊**データ取引市場**：第7章参照。

営事業者を認定し、公知・公表するための基準です。

この2つの取り組みで注目すべきは、国が大きな枠組みを作り、民間団体が主導するという、理想的な「官民協働」で事業が進められているという点にあります。

また、2019年6月のG20大阪サミットにて、DFFT（Data Free Flow with Trust：信頼ある自由なデータ流通）などに関するルール作りを進める「大阪トラック」創設を安倍総理大臣が宣言しました。

このように「データ流通」の検討に関しては、我が国が世界をリードしています。

日本政府及び関連団体のデータ流通をめぐる動き

2012年7月4日	高度情報通信ネットワーク社会推進戦略本部（以下、IT総合戦略本部）が「電子行政オープンデータ戦略」を決定
2013年6月12日	総務省「パーソナルデータの利用・流通に関する研究会報告書」
2013年6月14日	「世界最先端IT国家創造宣言」閣議決定。IT総合戦略本部「電子行政オープンデータ推進のためのロードマップ」を決定
2016年5月30日	「規制改革実施計画」閣議決定
2016年12月14日	IT総合戦略本部・官民データ活用推進戦略会議「オープンデータ基本指針」決定
2017年3月30日	官民データ活用推進基本法施行
2017年4月28日	内閣官房情報通信技術（IT）総合戦略室（以下、内閣官房IT総合戦略室）「AI、IoT時代におけるデータ活用ワーキンググループ中間とりまとめ」
2017年4月28日	経済産業省・総務省「データ流通プラットフォーム間の連携を実現するための基本的事項」
2017年11月1日	内閣官房IT総合戦略室、総務省、経済産業省におけるワーキンググループの検討を踏まえ、一般社団法人データ流通推進協議会（DTA）設立
2018年5月25日	EU一般データ保護規則（GDPR）施行
2018年6月15日	「統合イノベーション戦略」閣議決定
2019年1月23日	世界経済フォーラム年次総会（ダボス会議）にて、安倍首相が「信頼ある自由なデータ流通（DFFT：Data Free Flow with Trust）」を提案
2019年5月24日	「デジタル手続法（デジタルファースト法）」が参議院本会議で可決
2019年6月7日	高度情報通信ネットワーク社会推進戦略本部、官民データ活用推進戦略会議 合同会議で自由なデータ流通網構築の方向性を盛り込んだ「IT政策大綱」決定
2019年6月8日	DFFTのコンセプトを伝えるWebサイトを経済産業省が公開
2019年6月28日	G20大阪サミットにて、DFFTなどに関するルール作りを進める「大阪トラック」創設を安倍総理大臣が宣言
2019年8月2日	「内閣府SIP第2期/ビッグデータ・AIを活用したサイバー空間基盤技術」のうち「DFFT実現のためのアーキテクチャ設計と国際標準化推進の研究開発」をDTAが受託
2020年6月3日	DTAが米国IEEE-SA（Standards Association）に提案していたData Trading System Initiative（DTSI）が、"P3800 Standard for a data-trading system*"として標準化策定のプロジェクトとして承認される。
2020年7月17日	「統合イノベーション戦略2020」、「世界最先端デジタル国家創造宣言・官民データ活用推進基本計画」閣議決定

国際標準化活動の展開

DTAでは、デジュールおよびフォーラム（デファクト）両輪での国際標準化活動を展開しています。

デジュール国際標準化に関しては、Society 5.0に関する国際標準化機構ISOの

＊**P3800 Standard for a data-trading system**：overview, terminology and reference model
https://standards.ieee.org/project/3800.html

専門委員会における新TC設置に向けて意見集約を行い、その結果を踏まえて日本規格協会（JSA）が主催する「Society 5.0 ISO新TC設置準備委員会」（ISO：国際標準化機構、TC：専門委員会。以下、準備委）に共同幹事として参画。その結果、新TC設置提案書（Form1）案のブラッシュアップに関し準備委で合意し、さらに新TC設置に向けた国際ワークショップ（IWA）を提案し国際コンセンサスを深める方針を定め、準備委で合意しました。

フォーラム（デファクト）国際標準化に関してはDTAの提案により、IEEEにおいてP3800 Standard for a data-trading system: overview, terminology and reference model が2020年6月に設置されました。また、DTAとFIWARE Foundationとの協業協定が2020年2月に締結されました。

2020年7月に閣議決定された「統合イノベーション戦略2020」において、「データ駆動型社会の先進的モデルとして、日本発信の情報銀行やデータ取引市場等の取組を推進して社会実装を行うとともに、その国際標準化や欧米とのデータ流通に向けたトラストサービスの相互認証の確立に向け取組を推進」することが、政策目標として掲げられました。さらに、この実施状況として、「情報銀行やデータ取引市場等、データ流通を促進する日本独自の取組の国際標準化活動を実施している。データ取引市場等については、国際標準化団体IEEEに設置したデータ流通に関する新規WGの活動を推進している。また、IEEE標準の利活用をエンドースする視点から、ISO等、デジュール化の取組も並行して推進している。」と記載されています。

加えて、「世界最先端デジタル国家創造宣言・官民データ活用推進計画」においても、DTAにより「IEEEにおける検討グループの設置に向けた取組等、国際標準化に関する活動も展開されている。」と言及されました。

1-4
DFFT（信頼ある自由なデータ流通）とは

2019年1月23日、安倍総理大臣はスイスのダボスで開催された世界経済フォーラム（WEF）年次総会に出席し、DFFT＝Data Free Flow with Trust（信頼ある自由なデータ流通）のコンセプトを世界に発信しました。

DFFTのコンセプト

1-3で書いたように、モノづくり大国である日本の「現場」から生み出され蓄積されたリアルデータは、世界的に見ても特異な強みがあります。

政府が目指す「Society 5.0」の実現には、経済産業省が提唱する「コネクテッドインダストリーズ」のコンセプトのもと、様々な業種、企業、人、機械などがつながって、新たな付加価値や製品・サービスを創出、生産性を向上させ、高齢化、人手不足、環境・エネルギー成約などの社会課題を解決する必要があります。

その基礎となるのが「データ」です。そのためには「自由なデータ流通」が可能になることが必須ですが、さらに「公正かつ安全で信頼性の高い」状態で流通しなければなりません。そのためには「DFFT」の概念が非常に重要になります。

高度情報通信ネットワーク社会推進戦略本部　官民データ活用推進戦略会議「デジタル時代の新たなIT政策大綱」では、「DFFTのコンセプトに基づく「国際データ流通網」を広げていくことを目的として、より多くの国との間で、デジタル貿易ルールの形成等を促進することが求められる」と明記されています。

制度設計から社会実装するにあたっての課題

制度設計から社会実装するにあたっての個人の課題は、自身によりデータの扱いを把握・制御できないことにより便益を実感できない不満や不公平感が考えられます。また、企業の課題は、企業・業界を超えたデータ流通・活用が進まないことにより魅力的なサービスが創出されない恐れなどが考えられます。

これらの課題を解決するために、内閣府は2019年5月に、「戦略的イノベーション創造プログラム（SIP）第2期/ビッグデータ・AIを活用したサイバー空間基盤技術」の公募を実施し、同年8月に、同公募内「DFFT（Data Free Flow with Trust）実現のためのアーキテクチャ設計と国際標準化推進の研究開発」に関して、一般社団法人データ流通推進協議会（DTA）を委託先に選定しました。

最終報告書をDTAのHPにて公開しています。

デジタル時代の新たなIT政策大綱（全体像）

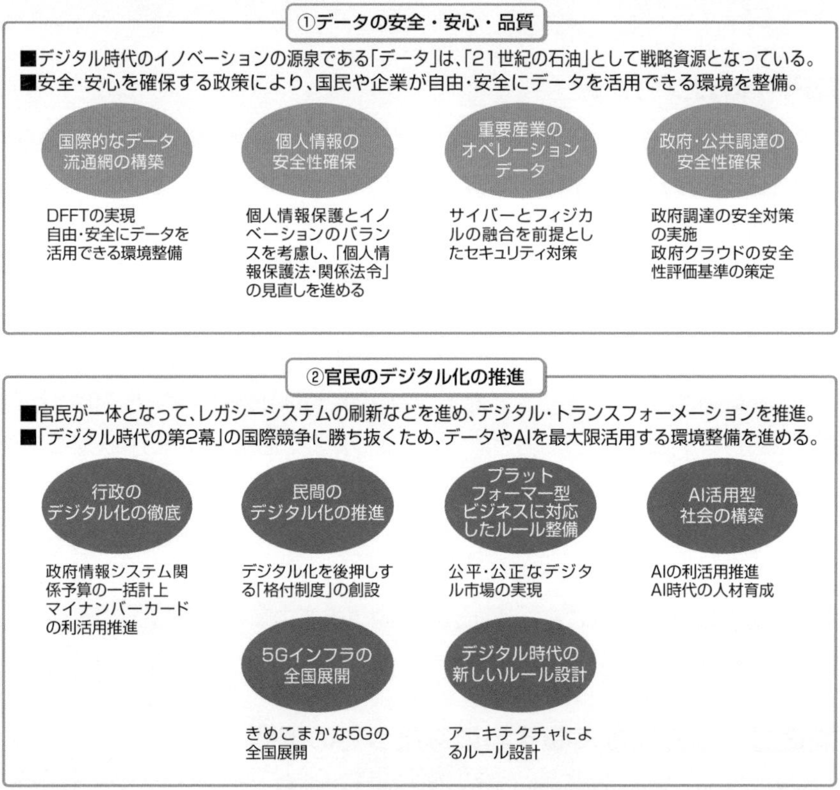

①データの安全・安心・品質

■デジタル時代のイノベーションの源泉である「データ」は、「21世紀の石油」として戦略資源となっている。
■安全・安心を確保する政策により、国民や企業が自由・安全にデータを活用できる環境を整備。

国際的なデータ流通網の構築	個人情報の安全性確保	重要産業のオペレーションデータ	政府・公共調達の安全性確保
DFFTの実現 自由・安全にデータを活用できる環境整備	個人情報保護とイノベーションのバランスを考慮し、「個人情報保護法・関係法令」の見直しを進める	サイバーとフィジカルの融合を前提としたセキュリティ対策	政府調達の安全対策の実施 政府クラウドの安全性評価基準の策定

②官民のデジタル化の推進

■官民が一体となって、レガシーシステムの刷新などを進め、デジタル・トランスフォーメーションを推進。
■「デジタル時代の第2幕」の国際競争に勝ち抜くため、データやAIを最大限活用する環境整備を進める。

行政のデジタル化の徹底	民間のデジタル化の推進	プラットフォーマー型ビジネスに対応したルール整備	AI活用型社会の構築
政府情報システム関係予算の一括計上 マイナンバーカードの利活用推進	デジタル化を後押しする「格付制度」の創設	公平・公正なデジタル市場の実現	AIの利活用推進 AI時代の人材育成
	5Gインフラの全国展開	デジタル時代の新しいルール設計	
	きめこまかな5Gの全国展開	アーキテクチャによるルール設計	

出典:『「デジタル時代の新たなIT政策大綱（案）」の概要』（内閣官房情報通信技術（IT）総合戦略室、令和元年6月）

1-5 データ流通でビジネスはどう変わるか

さまざまな業種、企業、人、データ、機械などがつながって、新たな付加価値や製品・サービスを創出、生産性を向上させることにより、高齢化、人手不足、環境・エネルギー制約などの社会課題を解決することができます。

「囲い込み」から「共有」へ

P.25の図のように、たとえば、データを個々の企業で抱え込む構造から、データ取引市場などを活用してデータの共有や交換・売買を行い様々なデータを組み合わせることにより、新たな価値の創出が可能となります。

「AI、IoT時代におけるデータ活用ワーキンググループ中間とりまとめ」など、官民で検討されてきた資料によると、データは、個人情報を含むパーソナルデータ*、匿名加工されたデータ、個人に関わらない機械から生み出されるデータの3つに分類することができます。それぞれのデータの内容については、下記が考えられます。

- 個人情報を含むパーソナルデータ：移動・行動・購買履歴、属性情報、ウェアラブル機器からのデータなど
- 匿名加工データ：個人を特定できないように加工された人流情報、商品情報など
- 個人に関わらないデータ：生産現場のIoT機器データ、橋梁に設置されたIoT機器からのセンシングデータ（歪み・振動・通行車両の形式・重量など）など

以上のデータを組み合わせることにより、各分野で次のように利用されることが見込まれます。

- 観光分野*：オリンピックや万博など大きな国際イベントの開催に伴う訪日外国人の増加による観光関連産業の活性化、個人ニーズに応じたおもてなしサー

＊**パーソナルデータ**：第3章を参照。
＊**観光分野**：第4章、5章を参照。

ビス提供　など

- 金融・フィンテック分野＊：金融市場の活性化、資産の一元管理、最適な資産運用　など
- 医療・介護・ヘルスケア分野：健康寿命の延伸、医療費の適正化、健康意識の向上、行動変容による健康増進　など
- 人材分野：個人の適切な能力評価、最適な人材活用
- 農業分野：高度な生育管理、戦略的な農産物生産・出荷、ノウハウの継承、戦略的農業経営の展開　など
- 交通分野：渋滞緩和による環境改善、最適なインフラ管理、混雑状況や天候に応じた最適なナビベーション　など
- 防災減災分野＊：的確な被災者把握、実態を踏まえた支援物資搬送やインフラ復旧計画　など

ここ近年、想定外の気象災害が発生するようになった我が国においては、官民に分散したさまざまな情報を組み合わせることで、災害発生時の迅速かつ的確な避難・救助の実施、復旧時の物資の最適資源配分などの実施、避難所生活での健康管理、観光客などの住民以外へのケアなどは必須課題です。

しかしながら、自治体を越えた情報の共有には、自治体同士の協定締結の上、円滑に連携できる仕組みが必要であり、連携情報の標準化および、意識せずに情報連携できるための標準化基盤の採用などが必要です。また、被害状況が刻一刻と変化するため、情報のリアルタイムでの連携も課題となります。

特に発災後の避難・救助活動時には、自治体が保有するデータだけではなく、産業データの連携も重要ですが、企業においては、すぐにマネタイズするビジネス化が容易でない分野であるとともに、安易に公開できないデータもあるなどの問題があります。データ所有者のビジネスに影響を与えない範囲での共有方法、データの公開範囲の検討が不可欠となります。たとえば、普段は観光振興を目的とて開発したシステムをそのまま活かして、有事発生時に災害対策用のシステムに切り替えられるようにするなども1つのアイデアです。

個人データに関しては、提供してもらう対価としてのインセンティブは何かという問題がありますが、たとえば、すでに多くの顧客を抱える既存ビジネスの利用料

＊**フィンテック分野**：5-2を参照。
＊**防災減災分野**：P.26コラムを参照。

金を、金銭による決済だけではなく、個人情報データ提供という新たな決済手段を設ける方法なども考えられます。

囲い込み戦略から戦略的オープン構造へ

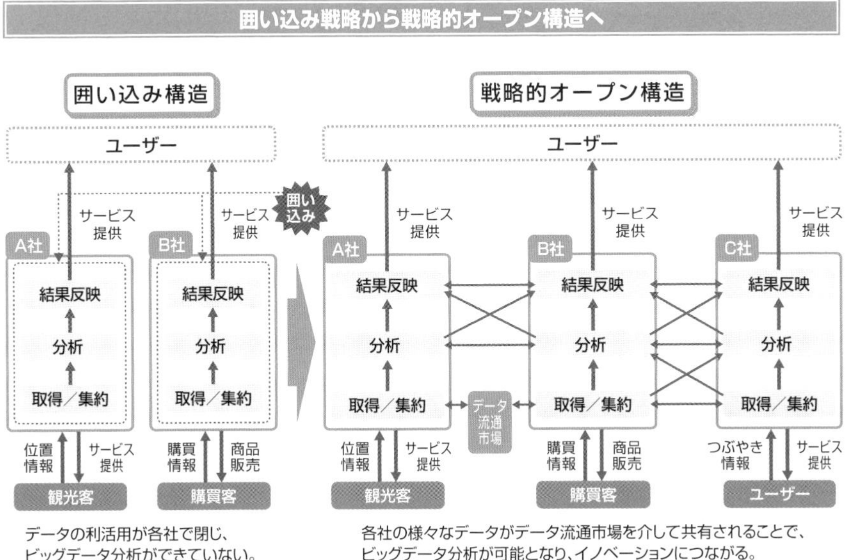

出典:『次を見据えた新たな「自律・分散・協調」戦略』産業構造審議会情報経済小委員会 分散戦略WG(第1回)資料(経済産業省、平成28年3月)

2019年台風被害対策地図の事例 ～共通地図に基づく災害対応～

災害発生時には、官民の関係者が意思決定に必要なデータを共有し、証左に基づき対策を計画・実施してひとつでも多くの命と生活を守ることが望まれます。

2019年日本に甚大な被害をもたらした台風15号及び19号への対応においては、内閣府と国立研究開発法人防災科学技術研究所（防災科研）で構成される内閣府災害時情報集約支援チーム（Information Support Team：ISUT）が、官民が保有する被害データを集約し、対応の効率化を実現しました。

千葉県内においては、倒木、土砂崩れ、電線破損や電柱倒壊といった多数の被害が発生しました。ISUTはこれら被害対応を迅速かつ効率的に実施するため、千葉県、自衛隊、総務省、総務省の依頼を受けた主要携帯電話キャリア、NTT東日本、東京電力がそれぞれ保有する災害発生箇所データを、ひとつのワークシートに集約した上で緯度経度データを付与し、共通地図を作成したのです。

各機関が保有するデータはそれぞれ形式が異なります。例えば、ある地点を示すデータ形式は緯度経度を用いるのが一般的ですが、自衛隊、警察、海上保安庁など防災業務を担う組織では地理院地図「UTMグリッド地図」を使っています。台風15号災害対応地図では、そうしたデータ形式の違いを認識しながらも、データ収集のスピード、そしてより多くの参加者が理解し活用できることを優先し「緯度経度」に合わせることにしました。

具体的には、ISUTが用意した共通フォーマットに合わせて各機関が災害発生箇所とその内容を記載し、データを集約した上、地図に展開します。ISUTは各機関のデータに加えて衛星や航空機、ドローンなどから取得した画像を地図へ重ね合わせ、データと被害状況を全員が共有しながら個々の災害発生箇所に必要な情報を更新していったそうです。

可視化されたISUTの地図は、災害対策本部における自衛隊などの計画で使われ、防災科研クライシスレスポンスサイト（NIED-CRS）として一般公開されている地図は現場ボランティアにも活用されました。災害の具体的な場所と状況を相互運用可能なデータとして集約することにより、関係者全員の生産性を向上した例です。

今後は、センサーで取得したデータ等の活用も検討されています。また、発災時、特に地名に明るくない地域外からの支援者による支援活動には、指定避難場所など平時に収集可能なデータを用意しておくことが重要です。このため防災科研は、2019年5月からN^2EM（National Network for Emergency Mapping）というオンラインボランティア団体とともに日本全国の指定避難所情報の収集・整備に着手しています。ISUTのデータをまとめる機能は、こうしたデータそのものを整備する日常の努力によって、より効果を発揮するものと期待されています。

第2章

データ流通ビジネスを取り巻く環境

DFFT のコンセプトを実現するためには、国内外の共通認識を醸成する必要があります。また、日本国内においても、国、地方団体、民間が連携してデータを安全・安心に利用及び流通させる環境整備を進めなければなりません。この章では、国際的な標準化活動について、政府主導、民間主導、それぞれの取り組みを紹介します。また、第１章でも述べた通り、データを扱う巨大デジタルプラットフォーマーに関する様々な問題に対処していく必要がありますので、そうした問題と対応についても解説します。

2-1
国、地方公共団体、民間の役割

国、地方公共団体、民間が連携して進めなければならない取り組みについて、2019年6月14日に閣議決定された「世界最先端デジタル国家創造宣言・官民データ活用推進基本計画」をもとにまとめます。

データを安全・安心に利用できる環境整備

プライバシーやセキュリティ、知的財産権などに関する信頼を確保しながら、国際的に自由なデータ流通を目指すDFFT=Data Free Flow with Trust（信頼ある自由なデータ流通、以下DFFT）のコンセプト実現のため、G20などの場を活用し、各国の共通認識を醸成する必要があります。

政府は国内における個人情報保護をさらに確実なものとすると同時に、パーソナルデータを活用したイノベーションを促進する観点も踏まえ、また、国内事業者と海外事業者のイコール・フッティング確保のための域外適用やペナルティのあり方、越境移転に伴うリスクへの対応検討を含め、個人情報保護法*の運用と見直しに係る検討を進め、2020年6月5日に成立、同12日に公布されました。

他方、重要産業のデータ管理の強化として、「情報通信」、「金融」、「航空」、「空港」、「鉄道」、「電力」、「ガス」、「政府・行政サービス（地方公共団体を含む）」、「医療」、「水道」、「物流」、「化学」、「クレジット」及び「石油」からなる14の重要インフラ分野について、分野特性に応じた必要な情報セキュリティ対策を着実に実施し、継続的に改善していくにあたって改定した「重要インフラにおける情報セキュリティ確保に係る安全基準等策定指針（第5版）」に沿って、関係省庁などが連携し、事業者へ浸透させる取り組みを推進中です。

信頼性向上のためのデータ流通ルール整備

1-5で述べた通り、我が国のデータ流通政策において、データは、個人情報を含むパーソナルデータ、匿名加工されたデータ、個人に関わらない機械から生み出

*個人情報保護法：6-4参照。

されるデータの3つに分類することができます。

これらの取り扱いをするにあたって政府は、個人情報の保護と活用との両立に配慮したルールである、改正個人情報保護法、官民データ活用推進基本法（以下、官民データ基本法*）をそれぞれ施行しましたが、データの利活用をめぐる利用者本人の不安や懸念が依然として解消されていない現状があり、個人の関与の下で、パーソナルデータを安全・安心に流通・活用できる一層の環境整備が求められています。

1-3で述べた、我が国発の「情報銀行」と「データ取引市場」の社会実装に向けた、一般社団法人日本IT団体連盟、一般社団法人データ流通推進協議会（以下、DTA）がそれぞれ推進している認定制度策定などの作業、社会実装に向けた取り組みは、その不安を取り除く効果が期待できます。

パーソナルデータを円滑に流通させるためには、上記の我が国独自の取り組みを含めたアーキテクチャの定義と、データ構造の標準化が必要となります。

「DFFT（Data Free Flow with Trust）実現のためのアーキテクチャ設計と国際標準化推進の研究開発」については、1-4で述べた通り、内閣府が主導し、委託されたDTAが成果を公開しています。

また、民間部門においては、2019年4月に、一般社団法人官民データ活用共通プラットフォーム協議会が、国際標準のサービスインターフェースを用いた複数の民間事業者のプラットフォーム接続実証に成功するプレスリリースを公開するなど、オープンAPIを活用した官民データ共通のプラットフォーム構築などの取り組みが進められています。

データ流通の始点となるオープンデータ

オープンデータはデータ流通の始点となるだけでなく、その効果は多岐にわたります。

「オープンデータ基本指針」によれば、①データ活用により得られた情報を根拠とした政策立案による行政の高度化・効率化、②民間部門が政策のチェック機能を高めることによる透明性・信頼性の向上、③国民参加・官民協働の推進を通じた諸課題の解決と経済活性化の3点がその意義として挙げられています。

官民データ基本法において、国と同様に、地方公共団体はオープンデータ化へ

---

*官民データ基本法：6-1参照。

の取り組みが義務付けられています。これを受け、初めて策定された官民データ活用推進基本計画である「世界最先端IT国家創造宣言・官民データ活用推進基本計画＊」において、2020年度までに地方公共団体のオープンデータ取り組み率100％を目標として掲げました。

内閣官房情報通信技術（IT）総合戦略室の調査では、2020年6月10日時点の取り組み率は、約46％（816/1,788自治体）となっています。

地方公共団体のオープンデータ取り組み済み＊数の推移

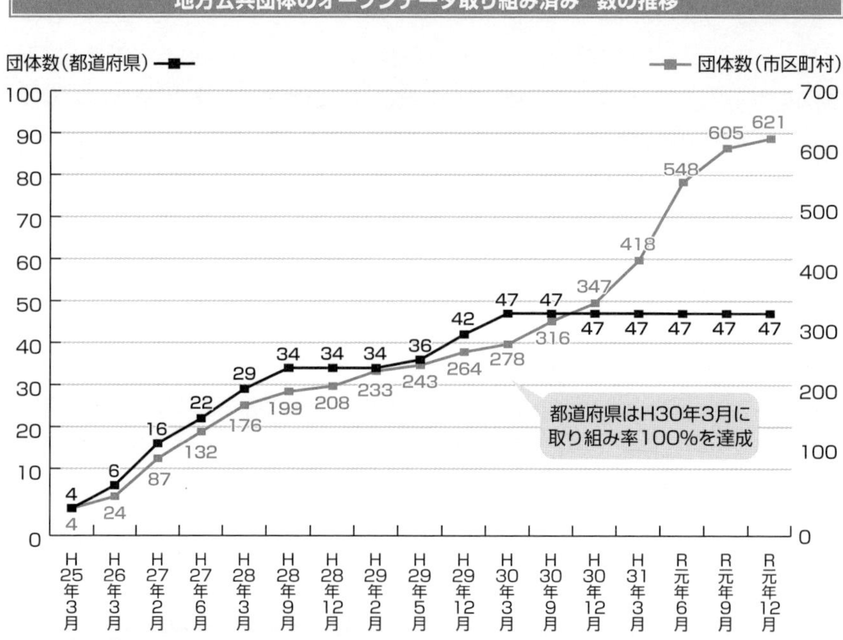

出典：内閣官房情報通信技術（IT）総合戦略室

＊**取り組み済み**：自らのホームページにおいて「オープンデータとしての利用規約を適用し、データを公開」または「オープンデータであることを表示し、データの公開先を提示」を行っている都道府県及び市区町村。

＊…**基本計画**：2019年より「世界最先端デジタル国家創造宣言・官民データ活用推進基本計画」。政府IT戦略の歩みに関しては6-1を参照。

2-2 国際的なデータ流通の枠組みの構築

我が国が提唱したDFFT（信頼ある自由なデータ流通）を促進するため、より多くの国との間で、デジタル貿易ルールの形成などを促進することが求められています。

データを安全・安心に、自由に活用するための国際的な環境作り

1-3で述べた通り、デジタル時代の競争力の源泉である「データ」は、特定の国が抱え込むのではなく、安全・安心を確保しながら、自由に流通する必要があります。そのためにDFFTのコンセプトを日本から世界に発信しました。

政府主導による国際標準化活動

総務省では、「データ流通に関する国際標準化動向及び戦略的な標準化方策についての調査検討」業務を公募し、一般社団法人データ流通推進協議会（以下、DTA）が受託しました。

データ流通に関わる国際標準化団体の動向分析に当たり、まずデータ流通の各レイヤーとSDGsとの関係性から標準化対象を俯瞰するため、P.33の図に示すように各標準化団体の活動のマッピングを行い、調査対象を選定しました。

調査の結果、DTAは我が国の取り組みと課題解決のための方策として、国際標準に係る以下の①～④の戦略を提言しました。

❶ DFFT のための三極モデルの推進

あらゆる種類のデータに対して、データ提供者、データ流通市場、データ提供先の三極モデルを推進することとし、カタログ・語彙・品質・構造情報の伝達手順の標準化を進めること。

❷デジュール標準とフォーラム標準を並行して推進

ISOでのTCフォーメーション、IEEEでのWG設置の両建てで取り組むこと。

❸国際 SDO で日本発のアクティビティを創出

参加ではなくリーダーシップをとりアクティビティを創出すること。

❹社会実装を含めた包括的活動を推進

概念から実装までの包括的活動を実施すること。

民間主導による国際標準化活動

前述の政府主導による国際標準化活動と連動し、DFFTを実現するために、DTAは、世界的な展開を見据え、世界最大規模の国際標準化団体であるIEEEと2019年3月に協業協定に合意し、国際標準化活動を推進してきました。この結果、DTAの提案により、IEEEにおいてP3800 Standard for a data-trading system: overview, terminology and reference model が2020年6月に設置されました。

これにより我が国が提唱するSociety 5.0におけるデータの重要性を背景とした上で、異なる組織や個人の間でデータ共有するにあたり、データが対価、便益と交換されることを“Data Trading”と定義し、この“Data Trading”を実現する上で必要となる様々な標準仕様の作成を推進中です。

個人データに関する国際的なデータ流通の枠組み

政府では、DFFT構想を実現する一環として、国際会議や2国間の枠組みなどを活用し、個人情報保護ルールの相互運用を実現するための各国の個人情報保護当局間の対話を進めています。また、日本が国際的な相互運用を主導すべく、窓口となる個人情報保護委員会の体制強化も行います。

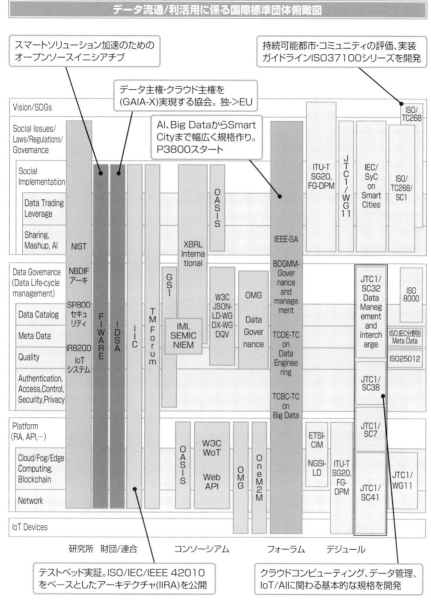

データ流通/利活用に係る国際標準団体俯瞰図

スマートソリューション加速のためのオープンソースイニシアチブ

持続可能都市・コミュニティの評価、実装ガイドラインISO37100シリーズを開発

データ主権・クラウド主権を(GAIA-X)実現する協会。独->EU

AI、Big DataからSmart Cityまで幅広く規格作り。P3800スタート

Vision/SDGs

Social Issues/Laws/Regulations/Govemance

Social Implementation

Data Trading Leverage

Sharing, Mashup, AI

Data Govemance (Data Life-cycle management)

Data Catalog

Meta Data

Quality

Authentication, Access,Control, Security,Privacy

Platform (RA, API,…)

Cloud/Fog/Edge Computing, Blockchain

Network

IoT Devices

NIST

NBDIF アーキ

SP800 セキュリティ

IR8200 IoT システム

FIWARE

IDSA

IIC

TM Forum

GS1

XBRL International

IMI, SEMIC NIEM

OASIS

W3C JSON-LD-WG DX-WG DQV

OMG Data Governance

OASIS

W3C WoT

Web API

OMG

OneM2M

IEEE-SA

BDGMM-Governance and management

TCDE-TC on Data Engineering

TCBC-TC on Big Data

ITU-T SG20, FG-DPM

JTC1/WG11

IEC/SyC on Smart Cities

ISO/TC268

ISO/TC268/SC1

JTC1/SC32 Data Manegement and interchange

ISO 8000

ISO,IEC分野別 Meta Data

ISO25012

JTC1/SC38

JTC1/SC7

JTC1/SC41

JTC1/WG11

ETSI-CIM

NGSI-LD

ITU-T SG20, FG-DPM

研究所　財団/連合　コンソーシアム　フォーラム　デジュール

テストベッド実証。ISO/IEC/IEEE 42010をベースとしたアーキテクチャ(IIRA)を公開

クラウドコンピューティング、データ管理、IoT/AIに関わる基本的な規格を開発

一般社団法人データ流通推進協議会作成

2-3
プラットフォームサービスのあり方

プラットフォームサービスは、イノベーションを促進する存在として今後も重要な役割を果たすと考えられる反面、データ寡占や市場独占による悪影響、不透明な個人情報の取り扱いによる消費者不安など様々な問題が生じています。

プラットフォーマー型ビジネスの台頭

P.35図のように2008年と2018年の企業時価総額世界ランキングを比較すると、2008年は、石油、製造、通信、金融関係が中心でしたが、2018年ではデジタルプラットフォーマーが上位10社中6社を占める結果となっています。

デジタルプラットフォームに関する懸念

❶市場独占の恐れ

P.35の図の寡占状況を鑑みると、規模の経済性に支えられたあらゆるデータのプラットフォーマーへの集中により、運営企業へロックインされる恐れ、プラットフォーマーが取引先に対して優越した地位に立ち不利益を与える恐れがあります。同じように、日々の生活になくてはならないサービスを提供する見返りに大量の個人情報を収集するビジネスモデルは、消費者に対しても不利益を与える可能性があります。

❷同業他社や新規参入の阻止

企業や消費者が求めるサービスを提供することにより、選ばれ、成長し、独占・寡占的地位を得ることは、競争そのものの現れなので、市場成長の観点からは好ましいことです。しかしながら、独占・寡占的地位を利用して同業他社や、新規参入を阻止したりするおそれがあります。

❸競合事業者の排除

デジタルプラットフォーマー自身が商品やサービスを提供する場合、同プラットフォームに出店する事業者と競合関係になる場合があります。その場合、デジタルプラットフォーマーはシステム設定やアルゴリズム設定作業などにより競合事業者を排除することが可能です。

❹イノベーションの阻害

業界を横断するダイナミックなビジネスモデルを構築していくデジタルプラットフォーマーは、異業種の買収を積極的に行う傾向にあります。有望なスタートアップ企業を買収した場合は、将来の芽を摘むこととなり、イノベーションが阻害される恐れがあります。

時価総額世界上位10社の変遷

2008年の世界トップ10企業
→石油、製造、通信、金融（計293兆円）中心

2018年の世界トップ10企業
→10社中6社（計419兆円）がデジタルプラットフォーム企業に

	企業名	時価総額
1	ペトロチャイナ	57兆円
2	エクソン・モービル	49兆円
3	ゼネラル・エレクトリック(GE)	34兆円
4	チャイナ・モバイル	32兆円
5	中国工商銀行	30兆円
6	マイクロソフト	26兆円
7	ブラジル石油公社	25兆円
8	ロイヤル・ダッチ・シェル	23兆円
9	AT&T	22兆円
10	BP	21兆円
	…	
12	トヨタ自動車	21兆円

	企業名	時価総額
1	アップル	96兆円
2	アルファベット(Google)	82兆円
3	アマゾン・ドット・コム	78兆円
4	マイクロソフト	77兆円
5	騰訊[テンセント・ホールディングス]	56兆円
6	フェイスブック	56兆円
7	バークシャー・ハサウェイ	55兆円
8	アリババ・グループ	51兆円
9	JPモルガン・チェース・アンド・カンパニー	42兆円
10	中国工商銀行	38兆円
	…	
23	トヨタ自動車	24兆円

出典:未来投資会議（第23回）配布資料「デジタル市場のルール整備 に関する参考資料」（日本経済再生総合事務局、平成31年2月）（第75回高度情報通信ネットワーク社会推進戦略本部 第6回官民データ活用推進戦略会議 合同会議資料を基に再生事務局作成）

デジタルプラットフォーマーへの対応

DFFT=Data Free Flow with Trust（信頼ある自由なデータ流通）を確保することにより、デジタルプラットフォーマーがデータを囲い込むことなく、個人情報保護法などで守られた信頼できるデータが自由に流通し、消費者や同業他社がアクセスできるほうが、公平な競争条件を確保することが可能となります。

そのためには、政府・民間企業・消費者が協力してDFFTのあり方を検討していく必要があります。

こうした社会の要請に応じて、日本では、2020年5月に、「デジタルプラットフォーマー」を規制する新法が成立しました。要旨は以下の通りです。

①特定デジタルプラットフォームの取引条件などの情報の開示

特定デジタルプラットフォーム提供者に、契約条件の開示や変更時の事前通知などを義務付けます。

②自主的な手続・体制の整備

特定デジタルプラットフォーム提供者は、経済産業大臣が定める指針を踏まえて手続・体制の整備を実施します。

③運営状況の報告と評価

特定デジタルプラットフォーム提供者は、①②の状況とその自己評価を付した報告書を経済産業大臣に対して毎年度提出します。経済産業大臣は報告書に基づき運営状況の評価を行い、その評価結果を公表します。

第3章

データ流通を取り巻く情報技術

「データ」という言葉に対する理解は、人によって、文脈によって微妙に異なります。また、これがデファクトスタンダードといえる明確な定義も見当たりません。本章では、まずそもそもデータとはなにかをデータ活用、データ流通の文脈で整理します。それをふまえ、データが活用されるための条件と関連技術、またデータ活用の要諦である標準化について触れていきます。さらに、データが安全、安心に流通するための考えかたと技術を紹介します。

3-1 データと情報

ひとことで「データ」といっても、話し手と受け手により「データ」の指す意味が同じとは限りません。何となくデータの[集まり][個々の要素][レコード]などのどれかを状況に応じて判断しているでしょう。またSNSの投稿を普段はデータとして意識することはないのではないでしょうか？　そこで情報技術において“データ”はどのように定義されているかを概説します。

データ（Data）とは

「データ（Data）」とは、ISO/IEC 29100で「情報の表現を構成する要素であり、伝達、解釈または処理に適するように形式化され、複数のデータの組み合わせにより、情報を構成し得るもの」と定義されています。

一般的には「コンピューターで処理できる状態になったもの」を指しますが、概念的には、紙に手書きされたものもデータに含みます。

また、データは、一般に名前と年齢などのように、複数のデータとデータの属性などを示すメタデータから構成されるデータセットとして取り扱われます。

情報（Information）とは

一方で、「情報（information）」とは、ISO/IEC 2382-1、JIS X 0001（情報処理用語−基本用語）にて次のように定義されています。

「事実、事象、事物、過程、着想及び概念により構成され、対象物に対して一定の文脈中で特定の意味を持つもので、データセットを含むものもある。」

データセットと付帯情報（事実、事象、事物、過程、着想）及び概念により構成され、対象物に対して一定の文脈中で特定の意味を持つものが情報です。

ここでデータセットとは複数のデータが集まった塊です。表形式のデータの場合、データセットは1つ以上のデータベーステーブルに対応し、テーブルのすべての列は特定の変数を表し、各行はそのデータセットの特定のレコードに対応します。

すなわち、データは、情報を構成する要素を示しています。

データと情報の区別

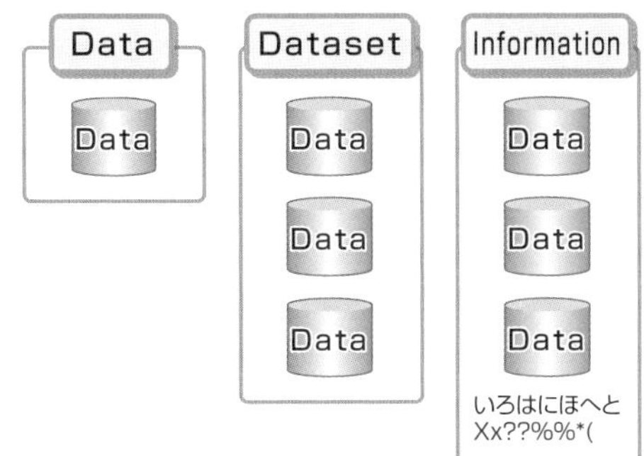

データ（data）に関わる代表的な用語

データ（data）に関わる代表的な用語をまとめました。一度確認してみましょう。

Dataに関する代表的用語

分類	用語	英語表記	本書での定義	リファレンスの例	リファレンス先での定義
全般	データ	Data	データとは、情報の表現であって、伝達、解釈または処理に適するように形式化され、再度情報として解釈できるもの	ISO/IEC 2382-1、JIS X0001 情報処理用語-基本用語	A reinterpretable representation of information in a formalized manner suitable for communication,interpretation, or processing. 情報の表現であって、伝達、解釈または処理に適するように形式化され、再度情報として解釈できるもの。
全般	データボディ	Data Body	1以上のデータの集合でメタデータを含まない。	No definition in ISO	
全般	メタデータ	Meta Data	データのうち、データの属性などを示すデータ。	ISO/IEC 11179-3:2013, 3.2.74	data that defines and describes other data
全般	データ値	Data Value	個々のデータの持つ値	ISO/IEC 25000:2005	content of data item
全般	データメンバ	Data Member	同一のメタデータに紐づくデータの集合	No definition in ISO and ITU	
全般	データレコード	Data Record	共通の識別子により関連づけられたデータメンバの集合	ISO 18739:2016 (en), 3.1.13	one or more data items treated as a unit within a data set
全般	データセット	Data Set	データボディ、メタデータの集合で、データセット自体にもメタデータが含まれる	ISO 8000-2:2018, 3.2.4	logically meaningful group of data

参考：dataの複数形は何？

「data」という英単語は日本語で「データ」という意味になります。しかし、「data」という単語の由来は英語ではなく、ラテン語です。そして、元々のラテン語で「data」はもうすでに複数形です。

実は、正しい単数形は「datum」（発音：デイタム）になります。そのため、正しい英語では、「1つのデータ」は「one datum」になり、「いくつかのデータ」という際には「a lot of data」になるはずです。しかし「datum」という単数形の単語は使われなくなってきています。もっと言うと、datumという単語はとても古臭くマニアックな単語というイメージがあるために、ある調査によるとおおよそ1960年代をピークにdatumの使用は下降し、現在は誰も使っていないと思います。

その理由としては「data」という元々の複数形の単語は英語で「不可算名詞」として使われるようになってきています。現在、複数形の「data are ○○」という文法は滅多に見かけません。現在、「data」は不可算名詞として扱われ「data is ○○」という言い方が一般的です。例えばHarvard Biomedical Data Managementでは"Data as a Second Language"という表現をしています。

3-2

データの法的性質

データはデジタル化とインターネットの普及で流通しやすくなりました。一方でデジタル・データは複製が容易です。デジタル・データの流通では元のデータに変化を加えることなく複製やアクセスの許可により受け渡しできます。円滑なデータ流通で押さえておきたいデータの法的性質について解説します。

データの法的性質

データを取得するだけでも、それなりにお金も手間も掛かります。データはデジタル化により複製、交換しやすくなった一方で無体物であるため、財物としてとらえるためには、次のような法的性質の理解が必要です。

- データは無体物であり、民法上、所有権や占有権、用益物権、担保物権の対象とはならない
- 所有権や占有権の概念に基づいてデータに係る権利の有無を定めることはできない（民法206条、同法85条参照）
- 知的財産権として保護される場合や、不正競争防止法上の営業秘密として法的に保護される場合は、限定的である
- データの保護は原則として利害関係者間の契約を通じて図られる
- 「データ・オーナーシップ」という言葉の法的な定義はない
- 「データ・オーナーシップ」は、「データに対する所有権を観念できる」という意味ではない

「AI・データの利用に関する契約ガイドライン」にまとめられたデータの法的位置づけを、有体物である不動産・動産と比較すると次の図のようになります。

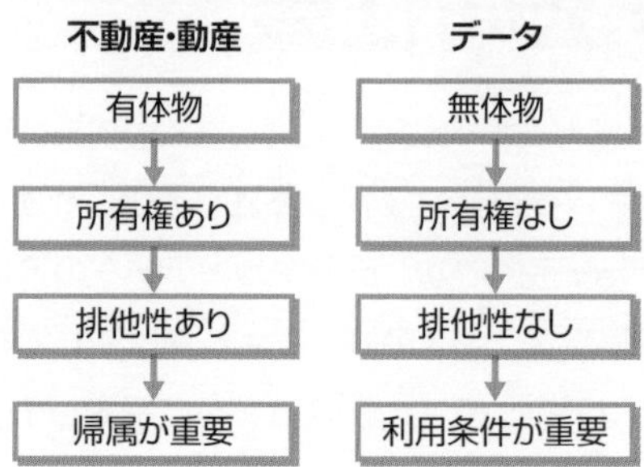

日本のデータに関する法律から見た種類と制約

日本のデータに関わる法の体系からデータの収集とデータの提供でまとめた図が、次の「日本におけるデータの種類と制約」です。

日本においては、データについての統一的な法律は存在しないため、データを取り扱うに当たっては、様々な法律を考慮する必要があります。

データは、法律上、誰がどのように使用しても自由であることが原則です。例外として、著作権法、不正競争防止法、個人情報保護法などにより、ある者にデータをコントロールする権利が与えられている場合があります。

データの取り扱いについては法律な観点から整理すると、おおよそP.43の図表のように分類されます。

①の一般的なデータとは、例えば、センサーが収集した気温や交通量のデータが考えられます。②〜⑨は重複することもあります。

企業は、データを利用する立場、保有するデータを利用される立場の両方の立場に立ちます。自由に利用できるデータは、他人が勝手に使うことに対して法的な保護はありません。逆に、法的に保護されているデータの利用には制約がありますが、法的な保護は図られることになります。

日本におけるデータの種類と制約

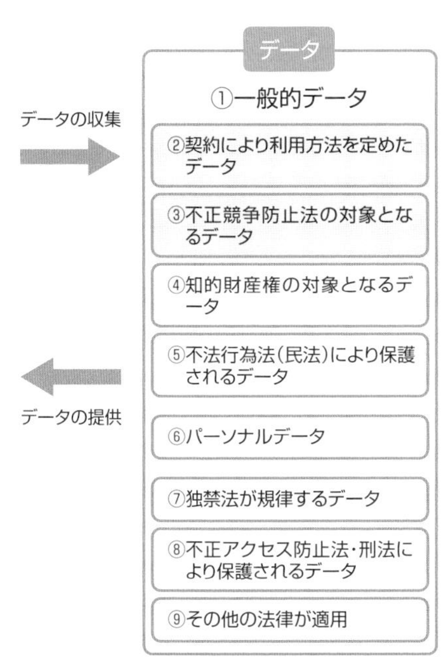
データ
①一般的データ
データの収集
②契約により利用方法を定めたデータ
③不正競争防止法の対象となるデータ
④知的財産権の対象となるデータ
⑤不法行為法(民法)により保護されるデータ
データの提供
⑥パーソナルデータ
⑦独禁法が規律するデータ
⑧不正アクセス防止法・刑法により保護されるデータ
⑨その他の法律が適用
データは法律上、原則として誰でも自由に利用可
①事実上アクセス可能な者が自由に利用可
②契約の定めに従う
③不正競争防止法に従う(営業秘密、限定提供データ)
④知的財産権法(著作権、特許権、意匠権など)に従う
⑤民法に従う(例:データのデッドコピーの行為と授受)
⑥個人情報保護法などに従う
(注:GDPRに代表される諸外国のパーソナルデータに関わる規則も参照する)
⑦独占禁止法による規律
⑧不正アクセス防止法・刑法に従う
⑨各種法令(労働法・金商法・医師法・弁護士法など)に従う

市場で取引される財の主な特徴

後述するデータ取引市場で財として取引される観点から、データをいわゆる一般の市場で取引される財と比較した表が、P.44の表になります。

データ取引市場において取引される財は、証券市場と同様に無形財です。取引の対象は財そのもので、証券市場が無形の権利の移転である点で異なっています。

所有権は有体物に対する権利として民法にて定められているため、そもそも無形財のデータには適用されません。そのため、データ取引によってデータの所有権は移転しないのです。知的財産権としては著作権及び特許権がありますが、創作活動の結果としての著作物や新しい技術的な発明として保護されない限りは、法律的にはデータに対する独占的な支配権は認められないと考えられます。

モノやサービスの売買取引の本質は所有権の移転です。一方、データ取引市場でのデータの取引は、所有権の移転ではなく、データ使用の許諾であり、許諾はデータへのアクセス権の付与とデータの写像で構成されることになります。

証券市場における有価証券は、代替性商品としての性質を持つため需要の価格弾力性が高くなります。他方、データは個別性が強いと考えられるため代替性が低く、価格弾力性は小さいと想定されます。

市場で取引される財の主な特徴

区分	データ取引市場	小売市場	卸売市場	証券市場
財の種類	データ	消費財	生鮮食料品	有価証券
財の形状	無形財	有形財	有形財	無形財
取引対象	財そのもの	財そのもの	財そのもの	権利
取引による所有権の移転	移転しない(アクセス権と写像)	移転する	移転する	移転する
需要の価格弾力性	小さい	小さい	小さい	大きい
財の同一性	なし	なし	なし	あり

3-3 データ利活用にかかわるデータの種類

データの分類方法は利活用の目的や方法に応じていくつも存在し、組織やステークホルダー間共通の分類ルールも重要です。ここではデータ利活用に係わるデータの種類を①「目的のもと取得・編集・加工されているデータ」、②「価値あるデータ」、③「パーソナルデータ」、④「個人情報」の4つに分類し、データ保護制度の検討に役立てた調査の例を紹介します。特に「価値あるデータ」に着目し、その他のデータは「価値あるデータ」との対比の例を紹介します。

データ利活用とデータの種類

「平成29年度産業経済研究委託事業海外におけるデータ保護制度に関する調査研究」の調査結果では、データ利活用に係わるデータの種類を大きく次の4つに整理しています。

①「目的のもと取得・編集・加工されているデータ」
②「価値あるデータ」(事業活動において有用であり、企業が投資しているデータ)
③「パーソナルデータ」
④「個人情報」

①目的のもと取得・編集・加工されているデータの代表例は基幹統計です。単体では当初目的達成以外には使いづらくても、他のデータと組み合わせることにより利活用の幅が広がります。②価値あるデータは、生産性向上やR&Dという意図をもって投資されたデータです。

③パーソナルデータ、④個人情報の収集過程は①②どちらもあり得ます。④個人情報は住民基本台帳やCRM上の顧客データが該当し、厳重な管理が求められます。

ここでパーソナルデータは、個々のデータやそれを含むデータセット自体が単体で直接に個人に関する情報を構成し得るものとは限らない点に留意が必要です。

例えば、ある商店における販売場所、販売日時、商品分類により構成されるデータセットには、直接には個人に関する情報を構成していませんが、携帯電話やWi-Fiなどから取得される位置情報などを含むデータセットと連携することで、個人に関する情報を構成することが可能となります。

データの定義

データの種類	データイメージ	企業におけるデータ利活用例
その他データ		
①目的のもと取得・編集・加工されているデータ（経済価値の有無は不明）	自然現象・社会現象について公的な目的等で取得・公開しているデータ。 • 気象情報、交通情報、人口動態データ等 • 公的機関による取得・公表に加えて、民間企業による取得・有償提供（例：気象情報サービス）や、公的機関によるローデータの有償提供もある。	「価値のあるデータ（事業活動において有用であり、企業が投資しているデータ）」「パーソナルデータ」「個人情報」との組み合わせによるビッグデータ化。 当該データ（目的のもと取得・編集・加工されているデータ）の有償提供。　等
②価値あるデータ（事業活動において有用であり、企業が投資しているデータ）	事業活動において発生するデータ。 • 工場・プラントの生産設備の稼働データ、産業用移動体機械（建機・車両・航空機等）の位置情報データ、設備（空調、昇降機、OA機器等）の稼働データ、研究データ（実験・計測データ等）、法人顧客情報等、個人と切り離されたデータ。	稼働データと製品耐用年数に基づく、機器のメンテナンス・修繕、予防保全サービス。 生産現場・建設現場等の工程改善コンサルテーション。 交通車両・航空機の運航コンサルテーション。 R&Dの精度向上・効率化。　等
③パーソナルデータ ※「個人情報の利活用と保護に関するハンドブック」を参照	「個人情報」に限定されない、個人の行動・状態に関するデータ。 • Web閲覧・遷移・購買データ、店舗内行動データ、自動車走行データ、移動通信端末等から発信される個人の位置情報、体温・血圧等のバイタルデータ等。	SNS、Webポータルサービス、EC等のインターネットサービスにおけるパーソナルレコメンデーション、商品開発。 小売、飲食、その他リテールサービスにおける顧客行動分析に基づく店舗内マーケティング、商品開発。 自動走行、自動車の商品開発。 個人向け健康管理サービス、法人向けバイタルデータ販売。　等
④個人情報 ※「改正個人情報保護法」第二条を参照	生存する特定の個人を識別できる情報であり、氏名、生年月日、その他の記述等、及び個人識別符号。 • DNA、顔、虹彩、声紋、歩行の態様、手指の静脈、指紋・掌紋、旅券番号、基礎年金番号、免許証番号、住民票コード、マイナンバー、各種保険証等。	SNS、Webポータルサービス、EC等における会員向けサービス。 銀行、証券、クレジットカード等の金融サービスにおける個人認証。 小売、飲食、その他リテールサービスにおける会員向けサービス。　等

出典：平成29年度産業経済研究委託事業「海外におけるデータ保護制度に関する調査研究調査報告書」（三菱UFJリサーチ&コンサルティング）
https://www.meti.go.jp/policy/economy/chizai/chiteki/keizaisanngyou29.pdf

3-4 パーソナルデータとは

1-5では、データについての「個人情報を含むパーソナルデータ」「個人を特定できない匿名加工パーソナルデータ」「産業データ」3つの分類を紹介しました。なかでもパーソナルデータはなぜ、取り扱いで頻繁に注意喚起されるのでしょうか？　個人情報とパーソナルデータは同じではないのでしょうか？

パーソナルデータとは

実は「パーソナルデータ」という言葉について、2020年7月時点で明確な定義は見当たりません。そこで一般社団法人データ流通推進協議会（以下、DTA）が作成したパーソナルデータリファレンスアーキテクチャ*では、パーソナルデータを「個人に関するデータ。個人情報保護法に規定する「個人情報」に限らず、かつ個人識別性の有無にかかわらず、位置情報や購買履歴など広く個人に関する情報を構成しうるデータ」と定義しました。2017年情報通信白書では、「個人の属性情報、移動·行動·購買履歴、ウェアラブル機器から収集された個人情報を含む。（中略）特定の個人を識別できないように加工された人流情報、商品情報等も含まれる。（中略）「個人情報」とは法律で明確に定義されている情報を指し、「パーソナルデータ」とは、個人情報に加え、個人情報との境界が曖昧なものを含む、個人と関係性が見出される広範囲の情報を指すものとする。」としています。

パーソナルデータの捉え方は、このあと紹介していく関連技術や標準、またデータ主体である個人と社会のデータ活用に対する受容性に依拠した変容が想定されています。そのため、現時点では明確な定義を目指すよりもそうした変容を鑑みつつ、社会のあらゆる参加者が常に「パーソナルデータとはなにか」を意識し、開かれた議論のなかで共通認識を醸成していくことが重要です。

個人情報とパーソナルデータ

日本では、「個人情報の保護に関する法律」いわゆる個人情報保護法が2003年

*…**アーキテクチャ**：3-20参照。

5月23日に成立、同年日本の個人情報と個人情報保護法一般企業に直接関わり罰則を含む第4～6章以外の規定は即日施行され、2年後の2005年4月1日に全面施行しました。個人情報保護法*及び同施行令によって、取り扱い件数に関係なく個人情報を個人情報データベースなどとして所持し事業に用いている事業者は個人情報取扱事業者とされ、個人情報取扱事業者が主務大臣への報告やそれに伴う改善措置に従わないなどの適切な対処を行わなかった場合は、事業者に対して刑事罰が科されます。

個人情報とパーソナルデータ

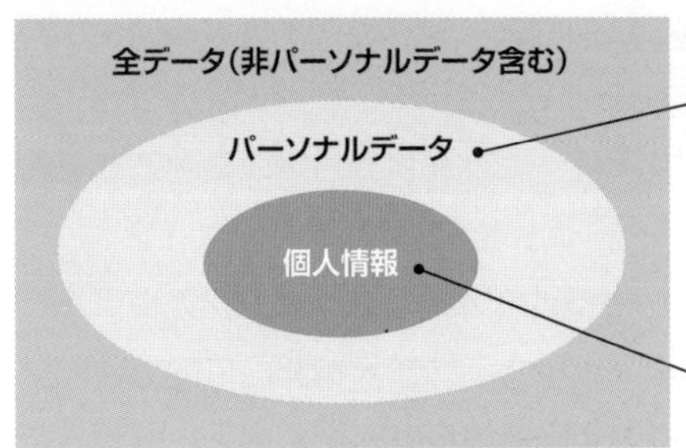

パーソナルデータ：個人に関するデータ。個人情報保護法に規定する「個人情報」に限らず、かつ個人識別性の有無にかかわらず、位置情報や購買履歴など広く個人に関する情報を構成し得るデータ

個人情報：生存する個人に関する情報であって、以下の「個体識別符号」を含むもの。
1)身体の一部の特徴をデータ化した文字、番号、記号その他の符号や、
2)サービスの利用者や個人に発行される書類等に割り当てられた文字、番号、記号その他の符号のうち、政令で定めるもの(旅券番号、免許証番号等)

※改正個人情報保護法(2017年施行)

変化するプライバシーリスク

パーソナルデータと個人情報というと、関連法律の罰則対応を中心にとらえがちです。しかし技術の変化だけではなく、組織や個人活動の変化、意図しないデータの利用も発生し、プライバシーリスクは変化していきます。1980年の「OECDプライバシーガイドライン」から2013年の「OECDプライバシーガイドライン改正」にいたる30年の変化と、それに伴うプライバシーリスクの経緯の報告にそのような状況の変化を見て取れます。

コロナ禍であらためて公衆衛生におけるパーソナルデータ活用の重要性とリスクが認識されたり、就職活動における不適切なデータの取り扱いが報道されたりといった社会情勢にも、データ活用の受容性は影響を受けます。逆に第4章PDSや第5章情報銀行でとりあげる直接的な便益の還元、デジタル・ガバメント実行計

*個人情報保護法：2020年6月「いわゆる3年ごと見直し」の改正個人情報保護法が公布、原則2年以内に施行されます。

画等で検討されているデジタル行政サービスといった恩恵の浸透によっても受容性は変化し、プライバシーリスクもまた変化を続けます。

ガイドラインやプライバシー保護技術も、時勢に合わせた変化が想定されますが、リスクはそうした基準や技術を上回るスピードで変化していくと考えるべきでしょう。第9章で触れるように、パーソナルデータを扱う組織は、能動的かつ積極的に理想的なデータ活用のあり方を消費者とともに創造していく姿勢を求められています。

OECDプライバシーガイドラインにおける30年の変化

30年の変化	概要
技術の変化 ・ネットワーク ・センシング技術	・携帯機器、カメラ機能や位置情報を利用可能とした ・医療や防災、交通システム、地図ナビゲーションなど ・個人、産業界、政府も利便性やコスト削減の恩恵を受ける ・個人の行動や居場所は他者に知られるリスクが増加
・個人データの大量保有 ・長期間保有 ・処理能力の向上	・大量のデータ保存、長期間の保存が安価にできるようになった ・コストの観点から不必要な情報を削除する必要がなくなった ・長期間の追跡が可能性が増大 ・データ処理能力の向上により、検索、リンク、追跡が容易になった（文字だけでなく、顔の認識も可能に）
・生体情報の利用	・生体認証による入退管理、ログイン。遺伝子研究による病気解明と治療法の開発 ・個人のプライバシーと尊厳の問題 ・遺伝子については、個人だけでなく、その家族、民族や社会のメンバーと共有するという点で「集団のプライバシー」の問題
組織活動の変化	・コストの大幅な削減に向けて、クラウドへの転換が図られ、業務の改善、拡大の方法が模索されている。 ・データ管理者、下請業者、複数関係者がデータに関与することになった ・公共部門が市民への情報提供や意見聴取のために、ソーシャルメディアを活用するようにもなった ・データ管理の責任や管轄権の問題
個人活動の変化	・SNS等で自分の情報を創造し、発信し、共有するようになった ・個人はデータの提供について、利用される目的や方法、データの種類、共有範囲、第三者提供など、理解せずに利用している場合がある ・家族や友人など他者の情報についても発信している場合もある ・ガイドラインの前提にある「データ管理者」といった概念への疑問

出典：「OECDプライバシーガイドライン改正について」JIPDEC（一般財団法人日本情報経済社会推進協会）野村 至（2013）

変化を伴うプライバシーリスク

リスク	概要
セキュリティ	・個人データの量、流通の規模が大きくなることによって、たった一度の侵害から多くのデータが漏えいしてしまうといったリスクが高まった。 ・漏えいは内部から起こることも多く、例えば、個人データを保管したUSBの記録媒体を紛失することが起きており、内部関係者の教育や訓練の重要視することが必要になった。 ・外的要因から漏えいも増えている。国内外も含めて、フィッシング詐欺、不正アクセス、悪意あるソフトウェア（マルウェア）が増加。 ・セキュリティ強化だけでなく、プライバシー執行機関、民間組織間の協力が必要。 ・直接的に犯罪を防止することを目的とはしていないOECDプライバシーガイドラインの在り方への疑問。
意図しない利用	・SNSで、個人の行動や、プロフィール、興味などについて、データマイニングを含めて分析するということが利用目的に入っていたとしても、個人は自分の情報がどのような範囲で、どのように使われるのか、理解していない場合がある。意図しない利用がなされている。 ・組織も個人データが収集された際は意図していなかった個人データに関する価値のある利用を見つける場合もある。 ・個人の理解と同意、組織のデータ利用について衝突が生まれている。
監視	・2001年以来、世界的に安全性への意識が高まり、監視カメラの設置や、自動車のナンバープレート自動認識システムなどの導入が進んでいる。政府によるウェブサイトの閲覧履歴の監視もある。 ・企業が職員に対して監視を行うこともある。社内の行動やブログの監視まで様々な形をとる。 ・監視は、安全や機密保持には貢献することがあるが、個人のプライバシー空間の縮小、不当な差別を招く懸念がある。

出典：「OECDプライバシーガイドライン改正について」JIPDEC（一般財団法人日本情報経済社会推進協会）野村 至（2013）

3-5

Cookie（クッキー）のゆくえ

EU一般データ保護規則（以下、GDPR）や改正個人情報保護法による個人関連情報の第三者提供規制は、Cookieなどデジタルマーケティング技術の利用に影響する可能性があります。プライバシー保護の観点でプラットフォーマーが問題視し、技術対応を進めるのは、サードパーティ Cookieです。例えばGoogleはサードパーティ Cookieの廃止と、広告配信の代替技術仕様検討を進めています。

Cookie（クッキー）とは

2018年5月施行のGDPRが「個人情報」と明確に位置づけたこと、また2020年1月にGoogleが「Building a more private web: A path towards making third party cookies obsolete」で発表した「2年以内の廃止」計画で注目されるのが「Cookie（クッキー）」です。ウェブサイトで用いられるHTTP Cookie（以下、Cookie）は、ホームページを訪問したユーザーの情報を一時的に保存する仕組み、またはそのデータを指します。

P.52図のように、単にCookieの取得に対する同意を求めるだけでなく、サイトとしての必須機能、ユーザー属性、統計処理、マーケティングといった目的別にCookieの詳細説明を行った上で、ユーザーに選択を促すサイトも増えています。

必須機能、統計、マーケティングなどの利用目的別に同意を取得する例（Global Reporting Initiative）

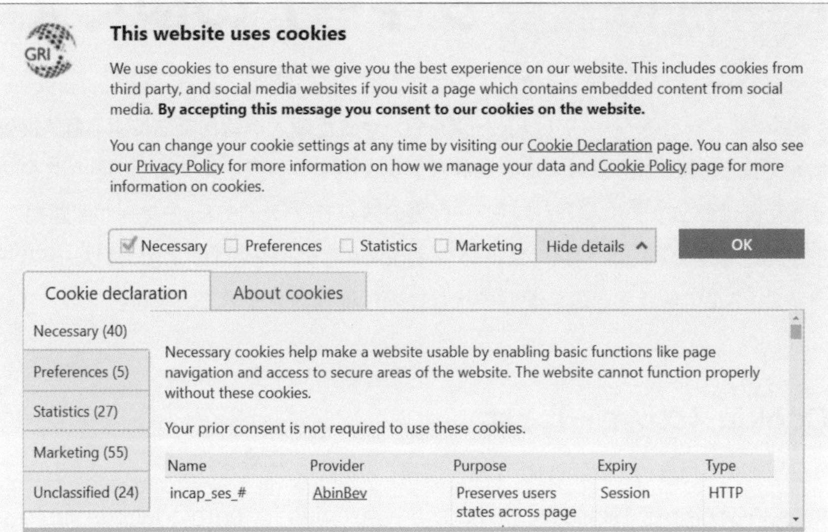

Cookieの基本機能

Cookieはユーザー識別やセッション管理の目的などに利用されます。例えばECサイトでの商品選択、ログインあるいは新規登録、カート投入、注文内容確認、決済といった、ユーザー行動とWebサーバーとのコミュニケーションは、各機能へのアクセスのたびにブラウザやPC、Webサーバーに生成・保存されるCookieが実現しています。Cookieがなかったら、一連の行動が同一人物によるものだということをWebサーバーが判断できず、ECサイトとして機能しません。「個人情報」と位置づけられる理由でもあります。

サードパーティ Cookieの問題点

プライバシー保護の観点でプラットフォーマーが問題視し技術対応を進めるのは特にサードパーティ Cookieで、Googleが廃止を計画するのもこれが対象です。サードパーティ Cookieは、サイト運営者ではなく広告事業者等が発行し、パブリックDMP（データマネージメントプラットフォーム）などで複数サイトの閲覧データを組み合わせてユーザーの特定を試みることに使われます。サイト運営者自身が発行・利用するファーストパーティ Cookie、サイト運営者の取得したCookieを契約などの相対取引で提供を受けた第三者が利用するセカンドパーティ Cookieと異なり、データ収集者とユーザーに直接取引がない、すなわち「説明」も「同意」もなくパーソナルデータが利用されていることが問題なのです。

プラットフォーマーの対応

Googleの発表によると、2年以内に新たなCookieの仕様を整備しつつ、サードパーティ Cookie提供を終了する計画で、AppleやFirefoxも同様の取り組みを進めています。

プラットフォーマーによるこうした取り組みは、各国政府の個人情報保護強化動向に対する企業姿勢と技術的ソリューションをオープンかつ先回りに示し、ユーザーの信頼を得ながら当局との衝突回避を目指す施策といえます。

サードパーティ CookieやFingerprinting（個々のブラウザ識別子を特定する技術）などユーザーが予見できないプライバシー取得技術は撤退を迫られる見込みで、ターゲティングやトラッキングで長年に渡ってCookieに依存してきたオンライン広告エコシステム全体に影響を与えそうです。

3-6 資産としてのデータ活用

データそのものにせよデータを管理するためのメタデータにせよ、「管理」や「更新」は不可欠です。データは生きものであり、住民基本台帳や預金通帳のデータの記録は常に更新されています。またIoTや5Gといった環境変化により、取得できるデータの種類は増え続けます。どのように管理し活用できるでしょうか。

データが活用できるということ

データ活用には、データが「存在する」という出発点、そのデータを「発見」でき、データに「アクセス」でき、データの「意味がわかる」状態が必要です。さらに、DFFT（信頼ある自由なデータ流通）というデータ流通の新たなフェイズでは、データの「安全」「信頼」も重要になります。

資産の可視化と管理　データカタログ

「誰（どのシステム）が」「いつ」「どこで」「誰（どのシステム）に向けて」「どのような目的·理由で」「どのようなものを」「どのようなツールなどを用いて」「どの基準を参照して」作成し、「どう運用されている」データセットなのかといった、データ活用や管理のための情報を管理する必要があります。

そのために有益なツールが、3-7で紹介する「データカタログ」です。「データカタログ」はデータが資産として活用され、また商材として取引されるために不可欠です。

なお、日本では一般的ではありませんが、部門個別最適を避けるため、業務横断的なデータ資産管理部門を設置するケースも増えてきました。海外では部署横断でデータ活用に責任と権限を持つCDO（Chief Data Officer）の設置も進みます*。

＊CDO（Chief Data Officer）の設置：例えば米国の場合、労働省や教育省、商務省、連邦通信委員会やバージニア州やコネチカット州などでCDOを選任している。また、各省のCDOやデータサイエンティストが集い、戦略資産としてのデータ活用を推進するThe Federal Data Strategy Development Teamを組織している。The Federal Data Strategy Development Team is comprised of a core group of cross-disciplinary data experts from across the Federal Government

データへのアクセス　機械判読性とアクセシビリティ

3-3で説明した通り、データは非独占的に活用し得る資産です。より多くの人びとやコンピューターなどの処理装置、デバイスが共通的に理解できるデータ標準を意識することで、1つのデータを社会全体で活用しやすくなります。そのために必要な取り組みが3-8と3-9でとりあげる「機械判読性」、「アクセシビリティ」です。

データの意味の理解　相互運用性と標準語彙

組織内にせよデータ流通市場あるいはEBPM（Evidence-based Policy Making、証拠に基づく政策立案）にせよ、データ活用にはレコード1つひとつの意味に対する共通理解が大前提です。「100」という数値が「100万円」なのか「100億ドル」なのか、「2020年3月期の年間売上」なのか「2020年3月期の第1四半期の有料会員数」なのかで、レコードの意味はまったく変わってしまいます。

「性別」「業種」「地域」といった共通性の高そうな分類データ項目であっても、どのコード体系のいつの分類に従っているのかについて参加者が共通認識をもたないと、適切な処理やデータ活用、取引が妨げられます。

そうした誤解を極力排除するための営みが、3-10から説明する「相互運用性」です。相互運用性は、パーソナルデータを情報銀行やプラットフォーム間でユーザーが主体的に運用するためにも不可欠な取り組みです。また相互運用性向上手段のひとつとして標準語彙を紹介します。

信頼ある自由なデータ流通に向けて

組織内のデータ資産にしてもオープンデータ、データ取引市場において有償で取引されるデータにしても、データが流通し活用される社会では、これらの条件を念頭にデータを管理する必要があります。3-16と3-17では、「信頼ある自由なデータ流通」実現のための技術や標準について解説していきます。最後に、こうした技術や標準に関する一般社団法人データ流通推進協議会（DTA）の取り組みをご紹介します。

3-7 データカタログ

ここからは、データ流通に必要な技術をとりあげていきます。組織の内外でデータが流通し活用できるためには、データセットを検索でき、所在がわかる必要があります。また、データの品質に対して、データセットを売る人と買う人があらかじめ合意しておかなければなりません。

データカタログとは

データカタログは、データの所在や内容などの概要情報を項目別に記入する書式の総称です。データカタログには「誰（どのシステム）が」「いつ」「どこで」「誰（どのシステム）に向けて」「どのような目的・理由で」「どのようなものを」「どのようなツールなどを用いて」「どの基準を参照して」作成し､「どう運用されている」データセットなのかといった、データ活用や管理のための情報を記載します。こうした情報をデータのうち、データの属性などを示すデータとして「メタデータ」と呼ぶ場合もあります。

データカタログには、P.57図のようにデータセットのタイトル、作成目的や作成/更新日や更新頻度、作成者及び責任者、データを生成したシステム、データセットの設計書の中でキーとなる情報、品質、著作権やライセンス、プライバシーに関する情報、使用文字セット*などを記載します。

データ流通市場においては、データカタログはデータセットという商品の価値をユーザーに伝える役割をもちます。特に異なる組織間でのデータ流通において使用条件や品質を明示することによって、データの売り手と買い手との情報の非対称性を減らし、安心・安全なデータ取引が可能になります。データ取引を目的とするデータカタログ標準については、3-19で詳しく説明します。

＊**使用文字セット**：データが使用する文字の定義。

データカタログのイメージ

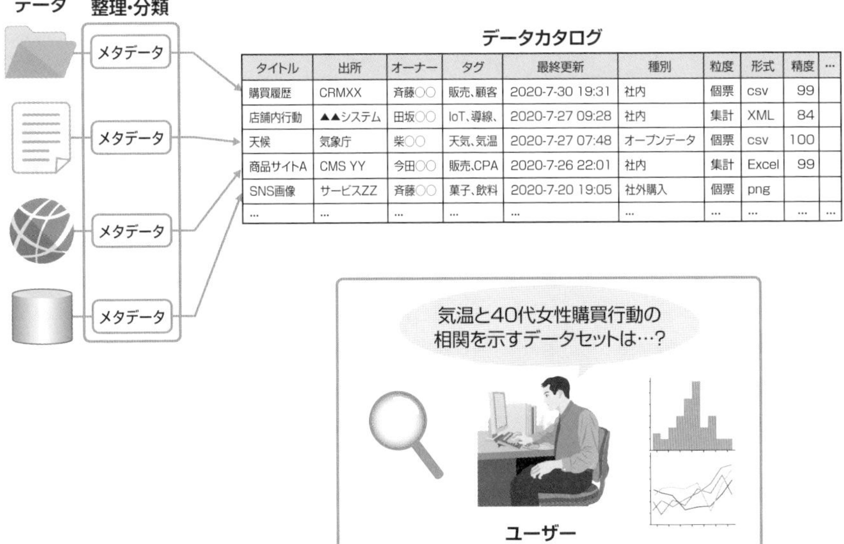

タイトル	出所	オーナー	タグ	最終更新	種別	粒度	形式	精度	…
購買履歴	CRMXX	斉藤○○	販売、顧客	2020-7-30 19:31	社内	個票	csv	99	
店舗内行動	▲▲システム	田坂○○	IoT、導線、	2020-7-27 09:28	社内	集計	XML	84	
天候	気象庁	柴○○	天気、気温	2020-7-27 07:48	オープンデータ	個票	csv	100	
商品サイトA	CMS YY	今田○○	販売、CPA	2020-7-26 22:01	社内	集計	Excel	99	
SNS画像	サービスZZ	斉藤○○	菓子、飲料	2020-7-20 19:05	社外購入	個票	png		
…	…	…	…	…	…	…	…	…	…

データカタログは、組織内データ資産の管理にも有効です。最初から完全にすべてのレコードを記述できなくても、どの部署がどのようなデータ資産をもち運用していて、どの業務に活用しているかを明らかにすると、データを販売したり、あるいは保護対象として認識したりできるからです。この場合は政府が公開する「推奨データセット*」の「オープンデーター覧」や、GDPR対策用に英Information Commissioner's Officeなどから公開されている保有データのセルフアセスメントツールなども活用できます。

実際にデータを販売するときは、もちろん価格や販売実績などの項目も追加することになるでしょう。この場合、組織内データカタログは「商品マスター」としても機能することになります。

---

*推奨データセット:オープンデータ公開とその利活用促進目的に、政府として公開を推奨するデータセット。

データカタログの目的

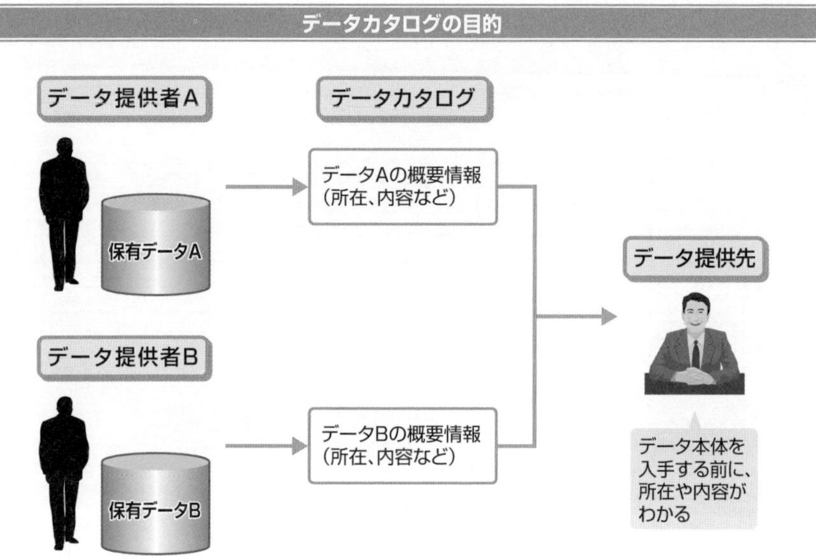

データカタログとメタデータ

データカタログは、機能としての「データカタログ」と、そこに格納された「メタデータ」の両方が揃って初めて成り立ちます。

データカタログの要件を把握するために、なにより「ユーザー」を特定する必要があります。データカタログが先にあるべきではなく、データを利用して何かを成し遂げたい、そのためにデータカタログが必要となるのだ、というロジックを組み立てることが重要です。

データカタログの価値は整備されたメタデータではなく、メタデータを利用して実施された他の施策における価値に左右されます。カタログ化されたデータにより多くのユーザーがアクセスし、ビジネスの文脈に基づきメタデータを追加して、ビジネス目的達成に必要なデータを検索して利用できるように育てていく、継続的な取り組みが望まれます。

3-8 データと機械判読性

カタログでデータを発見した次は、アクセスできる必要があります。データ取引の対象となるデータは様々なファイル形式や配信方法が想定されます。データの利活用の用途によって求められるファイルや配信方法は異なり、データ取引市場が基準を定義することはありませんが、より多くのシーンでデータを活用しやすくするための汎用的な配慮があります。

機械判読性とは

文章などを含むデータを、コンピューターなどのデバイスが機械判読、処理しやすいことを機械判読性がある、または機械判読可能なデータ（Machine-readable data）といいます。後述するJIS X 8341-3* やW3CのWeb Content Accessibility Guidelines（WCAG）などが基準を定めています。

データセットの種類と機械判読性

Webの発明者でありLinked Dataの創始者でもあるティム・バーナーズ=リーは「5スターオープンデータ（Five stars of open data)」を提唱していて、政府や自治体向けのオープンデータ基本指針でもこうした指標や共通語彙基盤*を参考に、より機械判読性の高いデータを目指すこととされています。

面白いのは、PDFや後述する神エクセルを否定せず、まずは「(どんな形式でもよいので）データを公開」から始まっている点です。公共機関のオープンデータで今のところ主流なのは☆☆～☆☆☆のレベルです。☆☆☆は後述するJIS X 8341-3も同様の発想ですが、有償の特定ソフトしか処理できないデータは極力避けましょうという意図も含まれます。ただし非技術者が日常的に扱うのは☆☆☆のcsvまででしょう。無理に☆☆☆☆RDF（Resource Description Framework）や☆☆☆☆☆LOD（Linked Open Data）で記述しなくても、一定精度のcsvであれば､ファイル形式の変換はまさに｢機械が処理｣できるからです。

＊**共通語彙基盤**：3-12、3-13参照。
＊**JIS X 8341-3**：3-9参照。

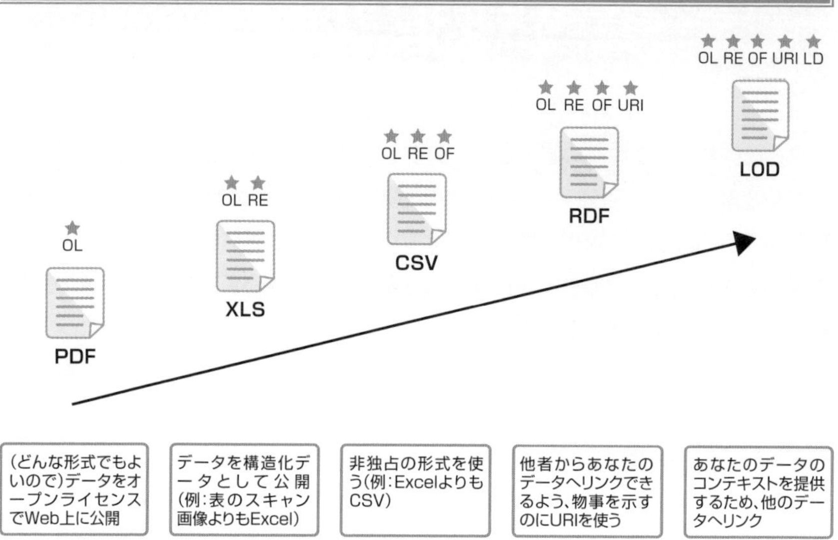
ファイブスターオープンデータによる公開レベル
★
OL
PDF
★★
OL RE
XLS
★★★
OL RE OF
CSV
★★★★
OL RE OF URI
RDF
★★★★★
OL RE OF URI LD
LOD
(どんな形式でもよいので)データをオープンライセンスでWeb上に公開
データを構造化データとして公開(例:表のスキャン画像よりもExcel)
非独占の形式を使う(例:ExcelよりもCSV)
他者からあなたのデータへリンクできるよう、物事を示すのにURIを使う
あなたのデータのコンテキストを提供するため、他のデータへリンク

データと神エクセル

前述の通り、オープンデータは機械判読性に対する努力義務を求めてはいるものの、スキャンデータやPDFを全否定しているわけではありません。出さないよりは公開したほうがいいのです。ただ、公共機関が整備する、かつ公開可能なデータというのは、えてして「人間がみて美しい様式」を優先することが少なくありません。機械判読性に劣るこうした様式は紙に引っ掛けて「神エクセル」と呼ばれています。

P.62図は政府のオープンデータです。39列あり人間が見るにもややつらいのですが、機械処理の文脈ではさらにいろいろな問題がありますので、一部を例示します。

◆レイアウトのための空白行

2-3行目や8行目は、1行に何もレコードを含まない空白行です。機械にとってこうした行は値のないレコードと認識される場合があります。

◆レイアウトのための空白を含むレコード

A列とAB列5行目は「所 得 階 級 別」と記載されていて、文字間に半角スペースが入っています。機械には「所得階層別」という1つのワードではなく「ところ」「とく」「かい」と認識される場合があります。「代 表」「大 臣」などもウェブサイトでよく見かけますが、別の単語として処理されかねません。

◆「〃」による表現

A列とAB列の14行目以降は、「上の行と同じ」という意図で「〃」を使っています。データを用途に合わせて並べ替えたり集計したりした際、何と同じことを示す「〃」なのかわからなくなる場合があります。

◆結合セル

L列とM列は「短期被保険者証等交付世帯数」の内訳として「短期被保険者証」と「資格証明書」を表現しています。もちろん人間にはその意図が伝わるのですが、機械処理には「短期被保険者証等交付世帯数の短期被保険者証」「短期被保険者証等交付世帯数の資格証明書」と記述し、その列に含まれる値の意味を伝えるほうが間違いを減らせます。

◆「-」の意味

E列やG列、H列など、世帯数と金額を示すデータ項目それぞれに「-」のセルがあります。これらはそもそも該当しないなどの理由で「-」なのか(空白)、処理の結果1に満たない小さな値なのか、判断に迷う場合があります。

例えば財務報告では表示単位未満の値を「0」百万円と記載することがあります。種別コードであれば値としての「0」と未確認を意味する空白とが明確に区分されていると、適切に処理しやすくなります。

機械判読性の低いオープンデータの例

自動保存 オフ　h29kj_世帯票

ホーム　挿入　描画　ページレイアウト　数式　データ　校閲　表示　操作アシスト

A1　fx　第１表－１－２　世帯の所得階級別、保険料（税）賦課状況（市町村）　－全世帯－

第１表－１－２　世帯の所得階級別、保険料（税）賦課状況（市町村）　－全世帯－

所得階級別		世帯数	被保険者数	所得総額	年金収入額	分離譲渡所得金額	分離譲渡所得のある世帯数	旧ただし書方式による課税標準額	固定資産税額	固定資産税のある世帯数	短期被保険者証等交付世帯数	
											短期被保険者証	資格証明書
				千円	千円	千円		千円	千円			
総数		2,052,650	3,817,450	1,955,614,131	2,843,367,117	3,186,671	11,900	1,282,716,804	24,787,133	347,800	75,850	10,300
（再掲）特例対象被保険者のいる世帯		21,600	35,250	21,608,944	7,089,381	11,982	50	12,415,542	89,970	1,550	1,400	-
所得なし		278,000	306,400	-	160,354,276	-	-	-	579,163	11,950	3,350	100
	～ 30万円未満	48,200	58,100	7,287,570	43,248,391	15,722	300	-	253,636	5,050	1,050	-
30万円以上	～ 40 〃	21,900	35,850	7,552,129	16,855,212	15,050	50	393,198	180,373	3,050	250	-
40 〃	～ 50 〃	16,300	25,200	7,315,854	14,928,207	-	-	1,590,891	155,268	2,550	800	200
50 〃	～ 60 〃	20,250	33,500	11,187,642	16,289,028	-	-	3,778,637	268,794	4,250	950	-
60 〃	～ 70 〃	147,750	158,500	95,615,688	51,859,711	112,853	750	46,050,641	1,112,843	17,250	10,200	2,300
70 〃	～ 80 〃	178,650	191,800	134,852,766	125,149,006	564,915	2,300	74,898,713	1,456,705	24,000	10,350	1,700
80 〃	～ 90 〃	119,150	147,050	100,734,024	162,319,697	243,490	950	59,419,309	1,609,908	22,800	3,250	350
90 〃	～ 100 〃	108,500	173,400	102,444,061	129,499,622	93,027	850	62,370,870	1,320,772	19,450	3,150	900
100 〃	～ 110 〃	172,000	337,150	181,515,602	324,815,245	64,461	450	116,334,120	2,363,870	36,850	5,700	550
110 〃	～ 120 〃	205,300	415,300	236,325,144	431,706,583	257,375	750	156,748,930	3,173,532	47,350	7,050	550
120 〃	～ 130 〃	212,200	436,950	265,421,082	448,990,004	176,961	1,000	181,623,467	3,631,467	45,450	4,150	800
130 〃	～ 140 〃	165,400	356,250	223,304,244	424,652,299	485,557	1,600	155,429,464	3,017,302	39,700	1,550	200
140 〃	～ 150 〃	103,850	241,100	149,382,956	253,667,654	653,415	1,400	105,574,501	1,851,401	24,800	3,200	200
150 〃	～ 160 〃	51,450	154,250	79,352,122	73,957,368	15,137	250	55,189,845	802,257	9,900	3,400	150
160 〃	～ 170 〃	38,950	123,850	64,124,900	39,706,412	154,874	400	46,107,831	682,209	7,050	3,350	200
170 〃	～ 180 〃	35,000	116,600	61,211,180	35,098,961	100,613	200	43,809,719	555,842	6,050	2,900	300
180 〃	～ 190 〃	21,200	75,500	39,231,755	34,136,632	66,883	350	27,751,960	314,692	4,450	2,250	-
190 〃	～ 200 〃	16,350	63,250	31,781,119	16,678,193	66,916	200	23,717,871	161,111	2,050	1,550	150
200 〃	～ 210 〃	12,600	50,950	25,787,427	6,839,419	99,424	100	19,676,021	156,139	1,900	900	200
210 〃	～ 220 〃	11,150	48,350	23,957,570	2,613,551	-	-	18,670,935	213,520	2,400	1,050	150
220 〃	～ 230 〃	11,400	48,400	25,555,652	4,351,231	-	-	19,560,839	112,267	1,250	1,550	200
230 〃	～ 240 〃	4,600	21,200	10,799,145	3,753,590	-	-	8,546,993	50,712	550	700	50
240 〃	～ 250 〃	5,500	24,900	13,517,675	7,462,640	-	-	10,139,500	72,218	850	200	200
250 〃	～ 260 〃	3,650	17,850	9,325,368	2,576,814	-	-	7,325,020	65,670	650	550	-
260 〃	～ 270 〃	3,650	18,400	9,676,137	1,027,158	-	-	7,748,619	74,675	650	850	50
270 〃	～ 280 〃	2,550	13,300	6,976,145	1,666,744	-	-	5,686,255	78,904	800	100	-
280 〃	～ 290 〃	1,250	5,850	3,565,807	914,253	-	-	2,713,562	18,315	250	250	-
290 〃	～ 300 〃	1,600	8,550	4,718,980	1,443,050	-	-	3,723,965	28,590	350	50	-

出典：https://www.data.go.jp/data/dataset/mhlw_20200217_0052

同様の機械判読性に欠けるデータは、ウェブコンテンツでもよく見られます。かつて方眼紙やワープロで作成してきた統計資料や申請などの業務フォーマットの延長での処理、公開という事情には大いに同情しつつ、そろそろ官民をあげて機械判読可能なデータへシフトしなければなりません。高齢化が避けられず人材の多様化が必須の日本社会にとって、アクセシビリティへの対応は、待ったなしだからです。

3-9 データとアクセシビリティ

アクセシビリティ（Accessibility）は、近づきやすさ、アクセスしやすさを示します。障害、あるいはITリテラシーや言語などの差異にかかわらずあらゆる人びとがそのデータにアクセスしやすいことは、データ活用に不可欠な要件です。

公共機関は対応義務

データを扱う世界にはJIS規格があります。ウェブコンテンツに関し日本工業標準調査会（JISC）が2004年に制定した「JIS X 8341-3 高齢者・障害者等配慮設計指針－情報通信における機器，ソフトウェア及びサービス－第3部：ウェブコンテンツ*」でW3CのWeb Content Accessibility Guidelines（WCAG）の基準と対応しています。2013年に交付された障害者差別解消法で国の行政機関、独立行政法人など、地方公共団体及び地方独立行政法人に対し「不当な差別的取り扱い」を禁止するとともに「合理的配慮の提供」を義務付けたことをふまえ、アクセシビリティを含む情報アクセシビリティは、環境の整備、事前的改善措置として計画的に推進することが求められています。

達成基準と対応例

具体的には、等級Aは25、等級AAは13、等級AAAは23の「達成基準」が定義されています。例えば階層構造を持つ見出し（大見出し、中見出し）をつけてデータを構造化したり、リンク先のコンテンツが事前にわかるよう「こちら」などではなくリンク先ページのタイトルやファイル形式、容量などにリンクを設定、表は上から下、左から右に意味が伝わるよう記述などの基準です。各団体が達成等級と対象コンテンツを選び可能な基準から対応します*。次ページ図のようにウェブアクセシビリティ方針として全ページから参照できるようにすることも重要です。

＊**JIS X 8341-3**：2009年、2016年に改定され、2020年現在最新版はJIS X 8341-3：2016。
＊…**対応します**：ただし公共機関は全コンテンツを対象に2017年度中の達成等級AAへの適合が求められている。

民間企業でも推進

アクセシビリティ対応は、公共機関だけの問題ではありません。例えば米国では公共機関対象のリハビリテーション法508に加え、障害を持つアメリカ人法（The Americans with Disabilities Act）などで民間企業の対応を求めており、NetflixやAmazonは字幕付与などの対応を進めています。日本でも金融機関や交通機関など公共性の高い業種を中心に取り組みが進んでいます。

ウェブアクセシビリティ方針の例（三井住友銀行サイトを2020年8月に閲覧）

SMBC　SMBCグループ

三井住友銀行　文字サイズの変更 小 中 大　サイトマップ　サイト内検索

個人のお客さま | 法人のお客さま | 株主・投資家の皆さま | 採用情報 | ニュースリリース | 三井住友銀行について

SMBCトップ > アクセシビリティ > ガイドライン > ページ制作のアクセシビリティ指針 > 項目21

ページ制作のアクセシビリティ指針　優先度1

21. データのための表（table）は、構造を正しく記述する。

解説

表（table）はデータを分かりやすく視覚化するためには効果的ですが、音声ブラウザ等の情報を一覧することが困難な環境では、情報を把握し理解することが難しくなります。
データのための表を作成する場合、構造を示す要素や属性を正しく指定し（特にHTML4.01以降のHTML (XHTML)で規定された、アクセシビリティを向上させるための各種の要素や属性）分かりやすくします。

実例

- table要素にsummary属性で要約とテーブルの構成を記述します。
- セルの結合は最小限とし、できるだけシンプルな構成とします。
- caption要素でキャプションを指定します。
- 見出しセルはtd要素でなくth要素を用いてマークアップし、各データセルと見出しセルとを関連付けるために、th要素のscope属性、あるいはth要素のid属性とtd要素のheaders属性とでそれぞれの関連付けをマークアップします。
- th要素には (見出しセルの内容が長い場合は) abbr属性で省略形を示します。

	スーパー定期（300万円未満の標準金利）	スーパー定期300（300万円以上の標準金利）	大口定期（1,000万円以上の標準金利）
1カ月	0.020%	0.020%	0.020%
2カ月	0.020%	0.020%	0.020%
3カ月	0.020%	0.020%	0.020%
6カ月	0.020%	0.020%	0.020%

出典：https://www.smbc.co.jp/accessibility/guidelines/index_03.html

アクセシビリティ対応の概要とメリット

障害を持つ方や高齢者、そして日本語を理解しない外国人。それぞれ必要に応じてデータや情報へアクセスするためのツールを使っています。近視や遠視の方が、自分専用の眼鏡やコンタクトレンズをオーダーするのと同じです。視覚障害の方は音声読み上げツール、肢体不自由の方は唇や目の動きをマウスやキーボード操作に置き換えるツールなどを使います。スマートフォンにも音声読み上げ機能がついていますし、遠くて読めない看板の文字を撮影し拡大して確認することもあります。ウェブブラウザの翻訳機能も精度が上がり、利用する方は多いでしょう。

機械判読性の確保は、こうした多様かつ進化を続ける、かつパーソナルなマイツール、デバイスへ極力あまねく対応するために不可欠な取り組みです。例えば音声読み上げツールを使う方は「中見出しだけをざっと確認」したり「リンクテキストだけをざっと確認」したりして、「興味のある中見出しの本文を音声で聞く」という使い方をします。具体的には、文章のここが中見出しでここが本文であること、あるいは表中の「ゴミ収集日」という項目列の「文京区小石川○丁目」行の値であることを、見た目でなくデジタルに伝える（タグで記述する）必要があります。ページタイトルは前述の通りリンク元テキストと極力一致していることが望ましく、タイトルであると伝わる必要があります。

アクセシビリティ支援ツールは、ユーザーが自分に合わせて相当カスタマイズしています。したがってデータやコンテンツの提供者は、どのようなツールであっても普遍的に機械処理ができること、すなわちJIS X 8341-3をはじめとする標準に合わせて前述のような配慮を行うことが求められます。標準に則ったアクセシブルなデータであれば、障害者や高齢者、あるいは翻訳ソフトを使う外国人の方にも、情報が的確に伝わりやすくなります。それらソフトでの処理しやすさは、同時に検索エンジンにとっての処理しやすさを意味します。つまり検索エンジン最適化（Search Engine Optimization：SEO）効果も期待できます。

なお、ウェブサイトによっては独自の音声読み上げ機能等を提供していますが、本質的な対応とはいえません。自分用に処方してもらう眼鏡やコンタクトレンズ同様、多様なマイツールがそれぞれデータを処理できること、すなわちデータそれ自体がアクセシブルであることが重要なのです。特定サイトのローカルな支援機能は、かつて銀行や駅の窓口に備えてあった汎用老眼鏡に近いといえます。

3-10 相互運用性

入手した「100」という数値が「100万円」なのか「100億ドル」なのかを誰もが共通認識できるための取り組みが必要です。その1つが「相互運用性(Interoperability)」です。

データの相互運用性とは

既存データセットやシステムのデータ構造や設計を変更せず、データの意味構造や定義、典拠などを利用者が理解し合いコンピューターで処理、活用できる状態を「相互運用性がある」といいます。JIS X 0001は「それぞれの機能単位に固有な特性に関する知識を利用者がほとんど又は全く必要とせずに，各機能単位が互いに通信し，プログラムを実行し又はデータを転送する能力」、ISO/IEC 19941:2017は「Ability of two or more systems to exchange information and mutually use the information that has been exchanged.」と定義しています。

例えば、アンケート調査回答結果のローデータを購入し、自社データと組み合わせて分析する際、個票に含まれる「地域」というデータ項目は「居住地の地域」「勤務先の地域」あるいは「アンケートを回収した地域」のいずれを指すのかがわからないと、適切なデータ活用ができません。データ提供者がデータ項目ごとにそうした意味の構造を「地域Aは回答者の居住地の住所を市区町村単位で示した文字列」などと記述しておくと、購入者や購入者が使う分析ツールは、より適切にデータを処理し活用できます。P.67図のように、「カスタマー」「VIP」などとラベルが異なるデータをより広い概念である「顧客」と捉えるための工夫です。

データ流通と相互運用性

こうした「意味の伝達」は、新しい話ではありません。政府の基幹統計でも民間調査でも、その値の意味を伝えるために調査票を別添したり、回収方法や集計方法を注記したりしています。ただ、AIをはじめとする多様で高度な分析や常時接続型のデータ取引などを考慮すると、データ項目が持つ意味定義の解釈にいちいち人間が介在するのは煩雑です。そこで、どのようなシステムでもデジタルに値の意味を理解できる状態、すなわちデータ相互運用性が重視され始めているのです。

また、第4章や第5章で触れるPDSや情報銀行、その他サービス間でデータポータビリティを確保する際も、引越し元事業者のデータ項目定義と引越し先事業者のデータ項目定義には相互運用性が求められます。

値の意味を人間やシステムが理解する工夫

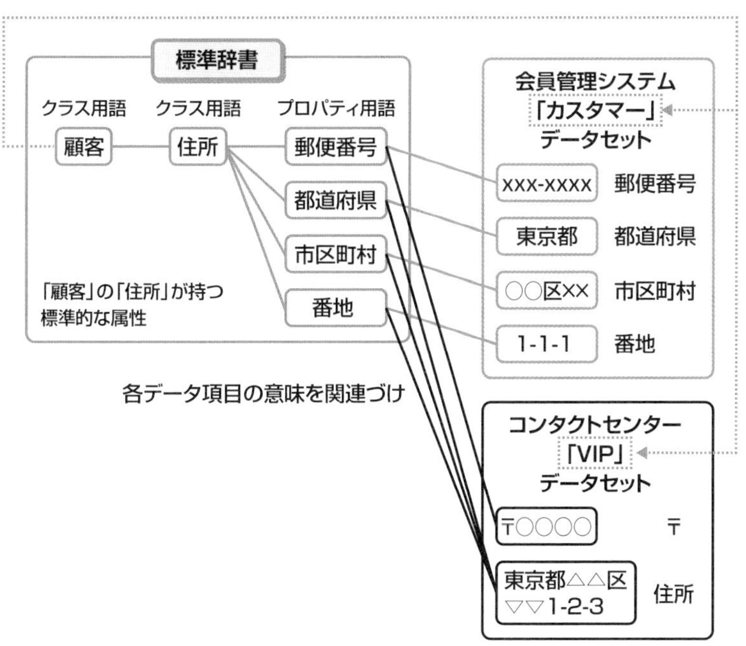

「統一」せずに再利用

データ活用の観点で登場する、相互運用性と似た概念に「互換性(Compatibility)」があります。互換性を実現する主な手法は、規格そのものの統一、共通化です。例えば乾電池やUSBコネクタの寸法や仕様はメーカーにかかわらず同じ規格に準拠していて、規格が異なれば動作しません。データも同様に、金融取引や特定製造業界のサプライチェーン、EDI、あるいは社内の特定業務システムなど、データ流通に関わるステークホルダーが限定的な場合、同一規格を使った互換性の確保は有益で、業界ごとにそうした規格は多数存在しています。

他方、下図のようにデータ流通市場の多様なステークホルダーは、それぞれ異なるビジネスモデルやデータ処理、処理のためのシステムに適したデータ項目定義やコードをすでに活用しています。USB仕様のようなデータ規格を誰かが定義することは可能かもしれませんが、データ取引やデータ活用という新しくそしてまだ未知数でもある業務のためだけに、すべての参加者がそれぞれ新たな規格に合わせて既存のデータ項目定義やシステムを作り直すことは、現実的ではありません。

データやシステムといった既存の資産を有効活用しつつ、異なる規格で作られたデータ同士をつなげて処理するための概念が相互運用性です。相互運用性が重視されるようになったのは、産官学民が持つ様々なデータを特定の業務システムから解放し、社会をあげて活用していこうという大きな潮流の要請にほかなりません。

ステークホルダーと相互運用性

特に相互運用性が求められる（業界内の流通・分野横断流通）

	流通なし	既知の 2者間の流通	業界内の流通	分野横断流通
		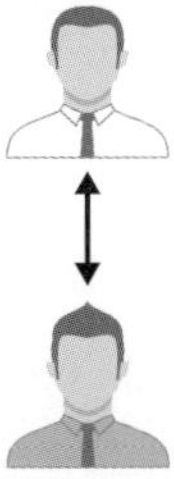		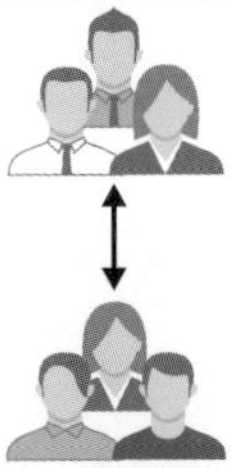
データの例	営業部門内の顧客リスト表 紙の家計簿	社内顧客リストと連携した請求システム上のデータ	プロスポーツ共通の顧客管理システム連携ECのデータ	スマートシティの交通・エネルギー・気象・行動などのデータ
協調の枠組み	不要	当事者間の合意が必要	業界内のルールとして合意形成が必要	社会全体のルールとして合意形成が必要
解決手段の例	適用業務の中でデータの意味づけを表現する	相互に理解できるようデータの意味づけを表現し共有する	参加者全員が理解できるようにデータの意味づけを表現し共有する	参加者全員が理解できるようデータの意味づけを表現し共有する

3-11 政策と相互運用性

データ活用へ向けた相互運用性向上は、行政のサービスと効率向上を目指す世界的な要請です。

世界で進む相互運用性の取り組み

米国は "Anticipate Future Uses: Create data thoughtfully, considering fitness for use by others; plan for reuse and build in interoperability from the start"*、EUは "Enablers: Investments in data and strengthening Europe's capabilities and infrastructures for hosting, processing and using data, interoperability"*といった国家データ戦略で相互運用性の重要性を示しています。民間では、3-14でとりあげるData Transfer Projectなどの取り組みが進んでいます。

European Interoperability Framework Interoperability Model

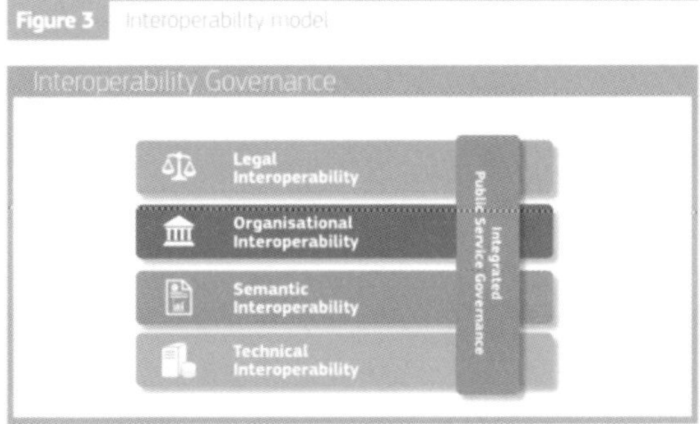

* …**the start**：Federal Data Strategy : Leveraging Data as a Strategic Asset https://strategy.data.gov/principles/

* …**interoperability**：A European strategy for data https://ec.europa.eu/info/sites/info/files/communication-european-strategy-data-19feb2020_en.pdf

日本では、官民データ活用推進基本法及びSociety 5.0をはじめとする政策に基づき、データ利活用及びその手段としての相互運用性向上を進めています。6-1で触れる官民データ活用推進基本法でいうと、相互運用性向上の取り組みは第15条（情報システムに係る規格の整備及び互換性の確保等）に該当します。

> [第15条1項]
> 国及び地方公共団体は、官民データ活用に資するため、相互に連携して、自らの情報システムに係る規格の整備及び互換性の確保、業務の見直しその他の必要な措置を講ずるものとする。
> [第15条2項]
> 国は、多様な分野における横断的な官民データ活用による新たなサービスの開発等に資するため、国、地方公共団体及び事業者の情報システムの相互の連携を確保するための基盤の整備その他の必要な措置を講ずるものとする。

スマートシティ都市OSと相互運用性

Society 5.0の先行的な実現の場として進む「スマートシティ*」も、相互運用性を重視しています。P.71図2020年3月に内閣府が公表した「スマートシティリファレンスアーキテクチャ」は、データやサービスが自由かつ効率的に連携される都市OS*の要件として「他地域や他システムとの相互運用性を効率よく行える必要」に言及しています。

スマートシティでの活用が想定されるのは、オープンデータや非識別加工匿名情報、スマートデバイスやIoT機器などを通じて得られる交通、エネルギー、土地、建物、人流や医療、健康、教育といった行政サービス等に関わる官民データです。

個別業務システムで生成されてきたこれらデータの活用を実現するため、①相互運用（つながる）、②データ流通（ながれる）、③拡張容易（つづけられる）を特徴として設計されたのがP.72図の都市OSです。都市OSにおける相互運用は、

＊**スマートシティ**：データと先進的技術の活用により、地域の機能やサービスを効率化・高度化し、社会課題の解決を図り、快適性や利便性を含めた新たな価値を創出する。また、EBPMの観点で官民そして市民等がデータを共有し、データに基づいて生活の品質向上や経済発展を図る都市像。国土交通省は、「都市の抱える諸課題に対して、ICT等の新技術を活用しつつ、マネジメント（計画、整備、管理・運営等）が行われ、全体最適化が図られる持続可能な都市または地区」と定義している。https://www.mlit.go.jp/common/001249774.pdf

＊**都市OS**：「スマートシティリファレンスアーキテクチャホワイトペーパー」は「スマートシティ実現のために、スマートシティを実現しようとする地域が共通的に活用する機能が集約され、スマートシティで導入する様々な分野のサービスの導入を容易にさせることを実現するITシステムの総称」と定義している。https://www8.cao.go.jp/cstp/stmain/a-whitepaper1_200318.pdf

都市OSが提供するAPIやデータが各種スマートシティサービスや他都市OSと連携できる状態を指しています。

日本におけるスマートシティリファレンスアーキテクチャ全体像

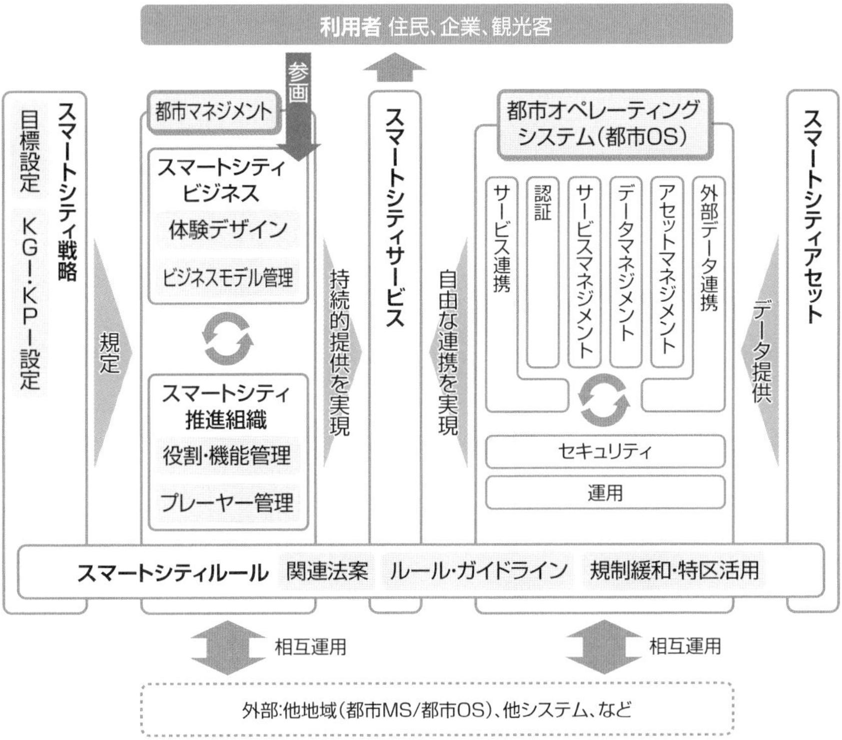

利用者 住民、企業、観光客
参画
スマートシティ戦略
目標設定
KGI・KPI設定
規定
都市マネジメント
スマートシティビジネス
体験デザイン
ビジネスモデル管理
スマートシティ推進組織
役割・機能管理
プレーヤー管理
持続的提供を実現
スマートシティサービス
自由な連携を実現
都市オペレーティングシステム（都市OS）
サービス連携
認証
サービスマネジメント
データマネジメント
アセットマネジメント
外部データ連携
セキュリティ
運用
データ提供
スマートシティアセット
スマートシティルール　関連法案　ルール・ガイドライン　規制緩和・特区活用
相互運用
相互運用
外部:他地域（都市MS/都市OS）、他システム、など

出典：戦略的イノベーション創造プログラム（SIP）第2期/ビッグデータ・AIを活用したサイバー空間基盤技術スマートシティアーキテクチャ構築「スマートシティアーキテクチャ設計と関連実証研究の推進」

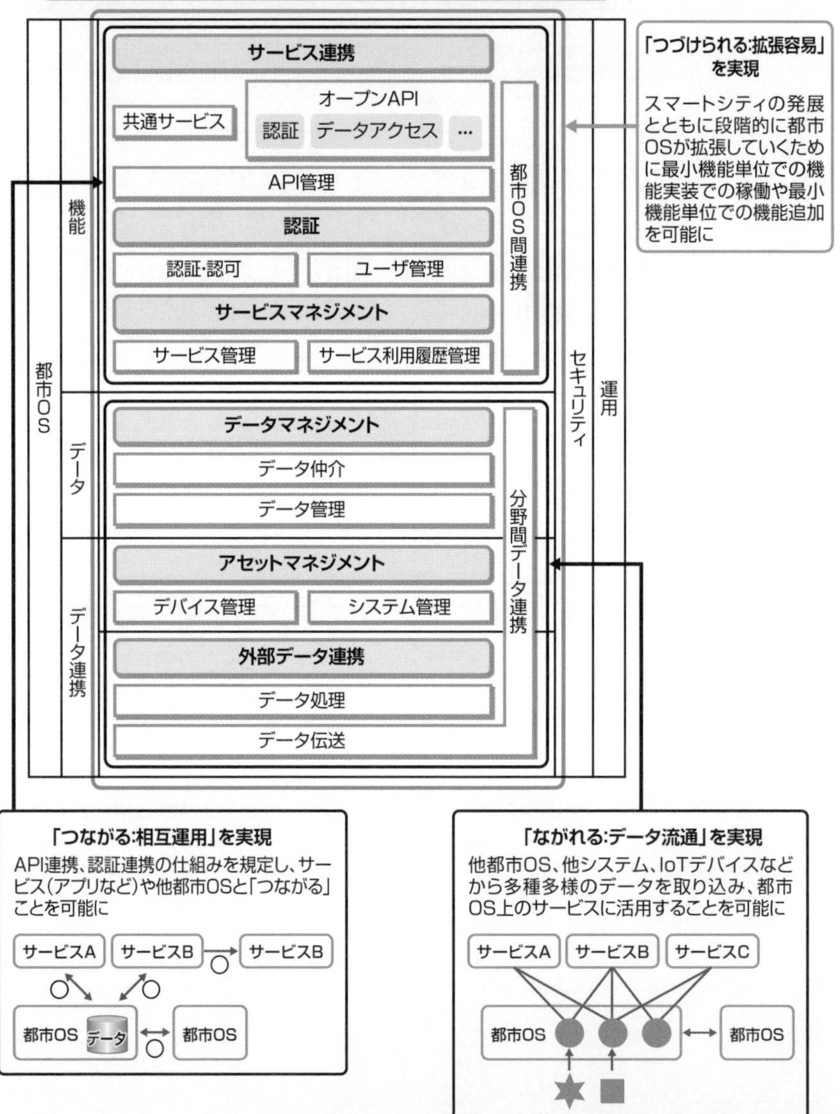

出典:戦略的イノベーション創造プログラム(SIP)第2期/ビッグデータ・AIを活用したサイバー空間基盤技術スマートシティアーキテクチャ構築「スマートシティアーキテクチャ設計と関連実証研究の推進」

3-12

相互運用性の実現方法

実際に相互運用性の高いデータが流通するための技術的手法は、政策から3-14で紹介するData Transfer Projectまで、様々なレイヤーで議論が進んでいます。流通及び処理技術が不断の進化を遂げてゆく生きもの・データを扱う以上、一度定義して終わりではなく、デジタルそして人的ネットワークの枠組みが求められています。

IMI情報共有基盤

都市OSの相互運用とデータ流通を支える基盤のひとつが、政府が整備を進めてきたIMI＊（Infrastructure for Multilayer Interoperability:情報共有基盤）です。IMIは、データに用いる文字や用語の同一性を特徴づける概念を体系的に分析・整理し、コンピューター処理に適した定義情報としてデータに付加することで、既存システムに原則手を加えず運用を相互に維持しながら情報の共有や活用を円滑に行います。

3-13で説明するコア語彙のほか、意味構造の整理や定義に利用できる「構造化項目名記法＊」「IMI語彙記法」や、データモデルを記述するための共通仕様「データモデル記述（Data Model Description）＊」、そのサンプルなどを公開しています。DMDはNIEMのIEPDに相当します。

海外の動向

IMI情報共有基盤がお手本にした米国National Information Exchange Model（NIEM）の場合は、合意された用語、定義、関係、形式などの辞書であるリファレンスモデル及び情報交換基盤である情報交換パッケージInformation Exchange

---

＊**IMI**：共通語彙基盤と文字情報基盤からなり、行政データの相互運用性向上を図る。共通語彙基盤は、データに用いる様々な用語の表記、意味、構造の特徴を抽出し、体系的に整理した上で、分野を超えてデータの検索性向上やシステム連携強化を実現する。文字情報基盤は、行政で用いられる人名漢字等約6万文字の漢字を整備し、外字作成等のコストを解消した（2017年12月に国際規格化）。https://imi.go.jp/

＊**構造化項目名記法**：「人型>氏名>姓名」のように、クラス用語やプロパティ用語の継承関係の階層構造を一行の文字列で表現することができる記法。https://imi.go.jp/goi/j-serialize-spec/

＊**データモデル記述（Data Model Description）**：DMDを作成するための技術仕様。DMD仕様https://imi.go.jp/goi/dmd_spec/

Package Description（IEPD）を整備しています。IEPDによってデータの相互運用性を最大化し、データの再利用を促進します。NIEMにおけるリファレンスモデルや情報交換に関する仕様は、連邦政府、州政府、地方政府、部族、民間、国際機関等の利用者が参加するコミュニティ主導で標準化が進められています。

IEPDの構成要素

Catalog	データの識別子などに関する情報
ExchangeSchema	定義された語彙が格納されている主要ドキュメント
NIEM SubsetSchema	ExchangeSchemaから選択した宣言文など
Example	新規作成の際に参考にするインスタンスの例
Rules	共通出現制約、非正規制約、文書間制約など各種制約。ルールベースXML Schema検証ツールであるSchematronで記述する
Documentation	その他の補足文書

ほかには、財務報告で用いる情報の相互運用性を確保するために開発された国際標準XBRL（eXtensible Business Reporting Language）*、商取引や貿易のための電子データ交換標準を整備するUN/CEFACT（United Nations Centre for Trade Facilitation and Electronic Business）などが著名です。XBRLは企業財務だけでなく、世界各国の財務報告や中央銀行、国税当局の規制報告、政府統計などに活用されています。

＊**XBRL（eXtensible Business Reporting Language）**：データ項目を定義した「タクソノミ」とタクソノミに基づき定義されたXMLタグ及び値を組み合わせて表記する「インスタンス文書」から構成される。仕様https://imi.go.jp/goi/dmd_spec/

3-13 標準語彙

データを発見しアクセスできたら、そのデータの意味がわかる必要があります。ここではデータの意味に関する共通認識を醸成するための語彙の標準化について解説します。

語彙整備の取り組み

データの相互運用性向上のために政府や業界団体などが進めるのが、語彙の整備です。日本では「IMI共通語彙基盤」、米国では「NIEM (National Information Exchange Model)」、欧州では「SEMIC (Semantic Interoperability Community)」が、それぞれ相互に連携しながら中核的な語彙を整備しています。

語彙定義書の例

データ項目(指定緊急避難場所一覧)(注1)						参考情報		
項目No.	項目名	区分	説明	形式	記入例	先進自治体公開有無	共通語彙基盤	共通語彙基盤での値型
1	ID	◎	地方公共団体内で避難場所(注1)が一意に決まるよう、IDを設定し、全地方公共団体において、同種類のデータセットでは一意に決まる組み合わせ記載。※記載方法について、「データ項目特記事項」シートを参照。	文字列(半角数字)	3	有	施設>ID>識別値	xsd:string
2	名称	◎	避難場所の通称や建物等の名前を記載。他言語版は別ファイルとする。ファイル名はファイル命名規則に従うこと。	文字列	○○小学校	有	施設>名称>表記	xsd:string
3	名称_カナ	◎	避難場所の通称や建物等の名前をカナで記載。※記載方法について、「データ項目特記事項」シートの【共通ルール】を参照。他言語版は別ファイルとする。ファイル名はファイル命名規則に従うこと。	文字列(全角カナ)	○○ショウガッコウ	有	施設>名称>カナ表記	xsd:string
4	住所	◎	避難場所の住所を記載。※記載方法について、「データ項目特記事項」シートの【共通ルール】を参照。他言語版は別ファイルとする。ファイル名はファイル命名規則に従うこと。	文字列	北海道札幌市厚別区2-○-○	有	施設>住所>表記	xsd:string
5	方書		避難場所の住所の方書を記載。他言語版は別ファイルとする。ファイル名はファイル命名規則に従うこと。	文字列	○○ビル1階	無	施設>住所>方書	xsd:string
6	緯度	○	避難場所の緯度を記載。※記載方法について、「データ項目特記事項」シートを参照。	文字列(半角数字)	43.064310	有	施設>地理座標>緯度	xsd:string

政府が中心となって進めるこれらの標準語彙は、「人」「組織」など共通性の高い用語についてデータ構造やデータの型を定義します。独立行政法人情報処理推進機構の「データの相互運用性向上のためのガイド*」では、P.75図のように語彙を「人間可読の部分と機械判読の部分で構成されており、両者が一体となった一つの用語」と定義しています。

コア語彙とドメイン語彙

IMI共通語彙基盤やNIEM、SEMICは、相互運用性の度合いに応じて、語彙を「コア語彙」と「ドメイン語彙」に分けて整理しています。共通語彙基盤におけるコア語彙は、「人」、「施設」、「イベント」といった事柄（事物やできごと）を表すクラス概念と、「性別」や「所有者」といった、事柄の持つ特定の性質や属性を示すプロパティ概念で構成されています。

1つの概念に1つの代表的な表記（概念の名称に対応する語）を用意した語が、「人」、「施設」、「イベント」といった用語です。組織外とのデータ連携などのシーンでは、「人」や「組織」であるところの「顧客」という抽象概念の相互運用性を、さらに向上させる必要があります。その際、P.67図のようにデータ項目定義をコア語彙の「人」や「組織」で記述することにより、データセット上のデータ項目名は「カスタマー」「VIP」あるいは「顧客」としたままで、「人」あるいは「組織」を扱うデータであるという本質的な意味を組織内外で共有できます。

コア語彙は分野を問わず使われる基本的な事柄を対象に整備されています。ドメイン語彙*は、防災、財務といった個別分野（ドメイン）において共通な用語の集合です。NIEMには農業（Agriculture）、Human Services（福祉）、生体認証（Biometrics）、司法（Justice）、Screening（監視）など15ドメインがあり、ドメイン担当機関*が決まっています。日本ではドメインのステークホルダー主導のもとでコア語彙を継承して定義されることが想定されています。

ドメイン語彙やデータ取引対象であるデータセットのデータモデル定義にあたっては、コア語彙や既存のドメイン語彙だけで不足することが少なくありません。そうした場合にもデータの相互運用性を確保するためには、新たに極力多くの市場参加者が合意できる語彙を定義する必要があります。こうしてビジネスや既存

---

*「データの相互運用性向上のためのガイド」:https://imi.go.jp/contents/2020/03/InteropelabilityGuide_20200327.pdf

* **ドメイン語彙**：IMI共通語彙基盤におけるドメイン語彙としては「法人情報語彙」がある。

* **ドメイン担当機関**：NIEMはドメインごとにオープンな検討体制を設置するとともに、スチュワードシップや語彙及び関連コンテンツ管理などのドメイン語彙の要件を「Domain Governance」に明示している。https://www.niem.gov/communities/domain-governance

データセットのデータ構造に合わせて定義された語彙全般を、IMI共通語彙基盤では「応用語彙*」と呼んでいます。

NIEMにおけるコア語彙とドメイン語彙の関係

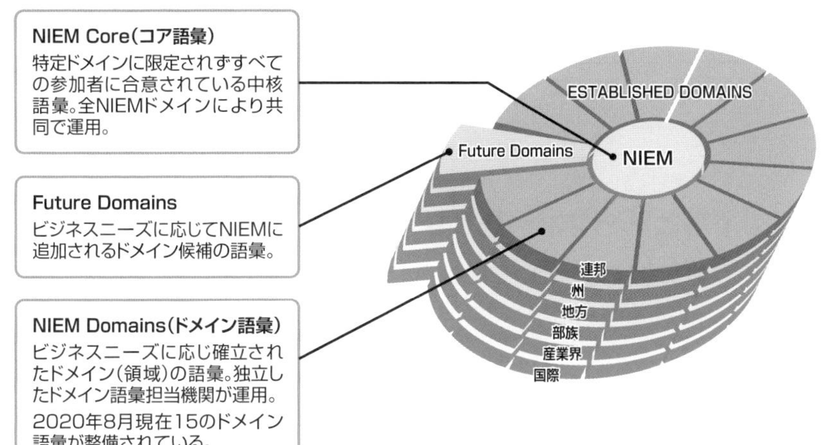

NIEM Core(コア語彙)
特定ドメインに限定されずすべての参加者に合意されている中核語彙。全NIEMドメインにより共同で運用。
Future Domains
ビジネスニーズに応じてNIEMに追加されるドメイン候補の語彙。
NIEM Domains(ドメイン語彙)
ビジネスニーズに応じ確立されたドメイン(領域)の語彙。独立したドメイン語彙担当機関が運用。
2020年8月現在15のドメイン語彙が整備されている。
ESTABLISHED DOMAINS
Future Domains
NIEM
連邦
州
地方
部族
産業界
国際

参考:NIEM Model https://www.niem.gov/about-niem/niem-model

---

* **応用語彙**:応用語彙は、共通性の高い語彙の整理などを経てドメイン語彙として共有されることが想定されている。

3-14 相互運用性へ向け検討される事業者ルール

取引銀行や携帯キャリアを乗り換えるように、よりニーズに合致するパーソナルデータストア（以下、PDS）や情報銀行へ、ユーザーがデータ資産を移行するケースが想定されます。事業者はその前提で何を意識すべきでしょうか。

相互運用性とデータポータビリティ

PDSなどを通じたパーソナルデータ活用へ向け、業界をあげ、国も一丸となって整備すべき事業者ルールが、データの相互運用性を確保するための標準化です。3-15などで触れる通り、PDSや情報銀行、その他のパーソナルデータ活用ビジネス、あるいは行政サービスにせよ、個人がその意思に基づいて自分のデータを自由に持ち運べる（データポータビリティ）権利を事業者が保証することを求めています。別のPDSなどへデータを移す個人は、移転先においても過去蓄積してきた自分のデータを移行前通りかそれ以上に活用したいので、各PDSのサービスが異なっても、データの解釈は同じでなくてはなりません。

PDSだけでなく、デジタル・ガバメント政策が目指すコネクテッド・ワンストップ（民間を含む手続き・サービスの一元的提供）にも、データ相互運用性は必須です。

相互運用性確保へ向けた取り組み

安全で信頼できるデータポータビリティを保証する取り組みはすでに始まっています。2018年にFacebook、Google、Microsoft、Twitterが発足させたオープンソースプロジェクトData Transfer Project（DTP）は、PDSでの活用を視野に“Data portability and interoperability are central to innovation”を掲げ、業界をあげたポータビリティと相互運用性確保に取り組んでいます（2019年7月からはAppleも参加）。

DTPは、「音楽プレイリスト」「写真」などの種類（Vertical）ごとに標準データモデルとデータ変換システムを整備することで、ユーザーが簡単にデータを移行できるようにします。データ受領側のサービスプロバイダーが自社データモデルと標準データモデルのマッピングを作成・公開することにより、各社の差異を保持したままでデータが相互運用可能です。

DTP仕様ではユーザー操作でデータは完全に移行し、同一データの存在場所は常に世界で1か所です。複数接続先からデータのコピーを生成し各PDSがデータを持つ場合に想定される、データ量の増大や互換性担保作業といった社会的コストの抑制を図ります。現在は各社のボランタリーな取り組みですが、中立的な第三者組織による運営体制が期待されているようです。

Google PhotosからMicrosoft OneDriveへのデータ移行例

他方、XDI Public Trust Organizationは、データ交換のための「XDI（eXtensible Data Interchange）」というデータアクセスや使用に関する認証フォーマットや交換されるメッセージ、暗号化などの仕様やデータ型定義を含む辞書の規格化を進めています。

日本では2019年5月の官民データ活用推進基本計画実行委員会データ流通・活用ワーキンググループで、サービスアーキテクチャ定義とデータ構造の標準化を求める提言が行われました。データ主権である個人の権利が本当に保護され、自分の資産として活用できる社会には、データの相互運用性が不可欠なのです。

3-15 GDPR第20条のデータポータビリティの権利

EU一般データ保護規則（以下、GDPR）*は、莫大な制裁金や広範な域外適用などが大きく関心を集めましたが、基本的な枠組みとしては、1995年制定のデータ保護指令（正式には Directive 95/46/EC）から大きく変わりません。しかし新設された第20条「データポータビリティの権利」に関しては今までのデータ保護法とは少なからず異なる発想に根差しているものだと評価されています。

GDPR第20条：データポータビリティの権利をどうとらえていくか

GDPR第20条「データポータビリティの権利（Right to data portability）」は、クラウド・コンピューティングやソーシャル・ネットワーキング・サービスについて、利用者が新しいサービスに移行したいと考える場合などを想定して新設されました。本人がサービス事業者などに提供した自分の個人データを、新しい事業者に移転できるようにする権利です。

◆ 資料：GDPR 第 20 条のデータポータビリティの権利

第1項　データ主体は、以下の場合においては、自己が管理者に対して提供した自己と関係する個人データを、構造化され、一般的に利用され機械可読性のある形式で受け取る権利をもち、また、その個人データの提供を受けた管理者から妨げられることなく、別の管理者に対し、それらの個人データを移行する権利を有する。

(a) その取扱いが第6条第1項（a）若しくは第9条第2項（a）による同意、又は、第6条第1項（b）による契約に基づくものであり。かつ、

(b) その取扱いが自動化された手段によって行われる場合。

第2項　データ主体は、第1項により自己のデータポータビリティの権利を行使する際、技術的に実行可能な場合、ある管理者から別の管理者へと直接に個人

＊GDPR：6-3参照。

データを移行させる権利を有する。

第3項　本条の第1項に規定する権利の行使は、第17条を妨げない。この権利は、公共の利益において、又は、管理者に与えられた公的な権限の行使において行われる職務の遂行のために必要となる取扱いには適用されない。

第4項　第1項に規定する権利は、他の者の権利及び自由に不利な影響を及ぼしてはならない。

出典：個人情報保護委員会の仮日本語訳より作成
https://www.ppc.go.jp/enforcement/infoprovision/laws/GDPR/

データ主体（data subject）と定義される本人に認められるのは、次の3つの権利です。

①管理者に自らが提供した個人データを再利用しやすい形式で本人が取り戻す権利(電子データのセットを自分に戻す権利)
②①のデータを、個人データの提供を受けた管理者に妨害されることなく、他の管理者に移す権利(自分に戻したデータセットを他の事業者に移す権利)
③技術的に可能な場合には、個人データをある管理者(サービス)から他の管理者(サービス)に直接移転する権利

データポータビリティの技術的な壁

技術的な観点からデータポータビリティを考えると、データのポータビリティがあることと、実際にデータを利用できるかは別問題です。

技術面以外でも、3-3の分類に見るように、一般的にデータはビジネス目的などの関心事に応じて収集され、蓄積されています。ある事業者がその事業者の関心事に応じて収集したデータを他の事業者が別の関心事に使えるようにするのは案外難しいのです。

● データポータビリティの技術的な壁
・ある個人に関するデータでも、事業者によってデータの表し方が違う。

・データの格納の仕方はサービス、システムごとに最適化されていて、一様ではない。

・属性情報の違い。

例えば、データ構造という点では、すでに標準フォーマットが決まっているデータ、あるいは電力利用データなどシンプルなデータは対応を進めやすいです。

一方で標準フォーマットが決まっていない領域では、CSVやJSONやXMLなどの形式、機械可読な状態で、できる限り高い粒度の属性情報を付けた上で本人に戻すことを、GDPR第20条のデータポータビリティは求めています。

欧州委員会 第29条作業部会*が作成したガイダンスでは、GDPRのデータポータビリティが目指すのは、コンパチビリティ（互換性）ではなくインターオペラビリティ（相互運用性）だと表現しています。データをエクスポートする側に特定形式でのデータ提供までは求めなくとも、機械判読できる形式で本人に戻すことさえ確保すれば、現在日本で議論されている情報銀行やPDSのようなものを含めて、そのデータを受け入れたいサービスの側が努力して読み取ることが期待できます。それにより徐々に全体としてインターオペラブルな状況を想定していると見られます。

本当のデータポータビリティを徐々に実現していくための、入り口としての「データ回収権」と言った方が、一面では正しい表現なのかもしれません。

一方で、GDPR第20条第2項「技術的に実行可能な場合、ある管理者から別の管理者へと直接に個人データを以降させる権利」としている点は現実的で、これは法律として面白い書き方です。管理者は相互運用可能なフォーマットで個人データの移転を行うことを期待されますが、他の管理者がこれらのフォーマットを利用できるように支援する義務を課せられるわけではないと解釈できます。

＊**欧州委員会 第29条作業部会**：旧データ保護指令の第29条に規定されていた作業部会。GDPRの制定により欧州データ保護会議（European Data Protection Board、略称：EDPB）が設置されたことにより廃止。

3-16 認証と認可

ここからは、DFFTに欠かせない信頼の面からデータ活用技術や標準を紹介していきます。パーソナルデータを取り扱う事業では、パーソナルデータを提供する個人と事業者に限らず、複数の事業者が連携して事業を行うことが想定されます。このような複数のステークホルダーが連携して1つのシステムを構成する場合には、各機関や個人、モノとの間での認証や認可といった信頼関係の構築が重要となります。このような信頼関係を確立するために用いられる電子署名や認証などのトラストサービスは、国内外を問わず広く検討され、その導入や法令による導入なども進められています。

認証とAAA

日本語では“認証”とひとまとめに表現してしまいますが、コンピューターセキュリティにおいて認証はAAA（トリプルA）*と言われ表のような区別があります。

AAA（トリプルA）の区別

Authentication	認証	信頼できるかどうか。本人であるか（対象の真正）を確かめる。
Authorization	認可 許可	サービス利用の権限を持っているか。ユーザーごとに制限する。
Accounting	課金	ユーザー情報を収集する。ログに記録する。

認証の種類

ここで説明する認証（にんしょう）とは、何かによって、対象の真正を確認する行為を指します。複数の人や組織でパーソナルデータを取り扱うシステムを構築する場合、個々の相手先となる人や組織の正当性の確認や認証にとどまらず、ネットワークにつながるモノの認証、データそのものの真正の認証などを必要に応じ

＊**AAA（トリプルA）**：AAA プロトコル（AAA protocol）、Authentication、Authorization、Accountingの頭文字を取ったもの。

て行う必要があります。この認証には次の4レベルが存在します。

◆未認証

その対象となる人や組織、モノ、データなどの真正について、特段の方法による認証を行わないレベル。

例えば、一般の消費者が小売店などで物品の購入を行う場合、店舗の看板や場所などにより相手方の確認を行っています。しかし都度店舗の登記簿の確認などを行うことはありません。これと同様のレベルの認証です。

これは、インターネットを介したeコマースや各種サービスでも同様で、不特定多数に対して広くその利用を求める場合、サービス提供者は、一定のサービスや情報提供の範囲内においては、接続する相手方の真正の認証を行いません。とはいえ、これらは有償サービスや高付加価値サービスへの移行に伴い、接続者の真正の認証を行う形態となることが一般的です。

また昨今のインターネットではフィッシングサイトなどによる犯罪防止のため、ブラウザやセキュリティソフトなどにより、次項以下に述べる接続先サイトの真正を確認するレベルが普及しています。

◆片側認証

関連する人や組織、モノ、データの対において、片側だけが相手の真正を認証するレベル。

法令や条例の定めにより、小売店において特定の商材の販売やサービスの提供する場合、本人の確認が求められるものがあります。例えば、酒類やタバコの販売では、消費者が成人であることを確かめます。また、携帯電話などの契約では、年齢だけでなく本人であることの確認を実施しています。このような場合、顧客側は小売店の真正の認証を特段の証憑などにより明示的に行いませんが、小売側は明示的な認証行為を実施しています。つまり、販売店側は、顧客を認証し、顧客は販売店の認証をしないという片側認証を行っています。

また、インターネット上のeコマースや各種サービスにおいて、サービス提供者側は、初期のアクセス者に対して特段の認証行為をせずに、広く利用者のアクセスを受け付けているものが主流です。しかし、利用側は、フィッシングサイトなどによる犯罪防止のため、ブラウザやセキュリティソフトの機能により、接続先サイトの真正を確認する仕組みが用いられています。これも片側認証です。

◆相互認証

関連する人や組織、モノ、データの対において、相互にその真正を認証するレベル。

実社会における契約行為などは、印鑑証明などにより相互の真正を認証する行為が行われています。

インターネット上のサービスにおいても、初期のアカウント作成時は、未認証、または片側認証によりサービスの提供を開始し、有償サービスなどへ移行する段階において、本人確認や事業者確認という認証行為を行い、最終的に相互の認証を伴うサービスが行われていきます。

◆第三者認証

関連する人や組織、モノ、データに対して、第三者の介在により相手の真正を認証するレベル。

実社会において、小規模の組織の会員証などのように自己申告に基づき発行される証票により、その利用者の真正を認証することは多々あります。これは、インターネット上のサービスにおいて、利用者がIDとパスワードの登録をする事例でも同様で、あくまでも自己申告による基づく認証です。

これに対して、実社会でも免許証、パスポートなどの当事者以外が発行する証票により認証行為が行われるものが、第三者認証となります。

また、インターネット上のサービスでは、認証局（CA:Certificate Authority）の発行する証明書により認証を行うことを第三者認証/TTP（Third Trust Party）による認証といいます。

認証の種類とレベル

認証の種類	認証のレベル
未認証	関連する人や組織、モノ、データの対において、片側だけが相手の真正を認証するレベル
片側認証	関連する人や組織、モノ、データの対において、片側だけが相手の真正を認証するレベル。
相互認証	関連する人や組織、モノ、データの対において、相互にその真正を認証するレベルである。
第三者認証	関連する人や組織、モノ、データに対して、第三者の介在により相手の真正を認証するレベル。

認証と認可

複数の人や組織でパーソナルデータを取り扱うシステムを構築する場合、個々の相手先となる人や組織の正当性の確認や認証にとどまらず、ネットワークにつながるモノの認証、データそのものの真正の認証などを必要に応じて行う行為が認証にあたります。つまり、認証により人や組織、モノ、データの真正を確認することは、連携の第一段階にあたります。

多くのサービスにおいて認証により真正が確認された相手方が利用可能なサービスや操作範囲は単一ではなく、相手方の属性により制御されます。すなわち、認証された相手方の行為に対する認可が行われます。

認証と認可は、それぞれ英語ではAuthenticationとAuthorizationと評され、両者は異なる概念ですが、同時に密接な関係を持ちます。

パーソナルデータを扱うビジネスでは、サービスの利用者に対して、そのアクセス範囲などを適切に管理することで、パーソナルデータの漏洩などのリスク管理をすることが重要となるため、常に認証と認可を念頭にアーキテクチャ設計をすることが求められます。

3-17 トラストと信頼

Data Free Flow with Trust（信頼ある自由なデータ流通、以下、DFFT）の「トラスト」「信頼」とはなんでしょうか？

トラストの歴史

トラストは法律、契約の世界では「信託（の制度）」を指します。「信託」の制度の始まりは、イギリスの中世における土地の利用が元になったといわれています。ただ当時は仕組みも未熟であり、信託をトラストと言わずにユース（use）と言っていました。現状はデータ利用に関してはユースの段階ですが、トラストというキーワードだけが先行しています。

データ利用のためのトラストの確立は今後の重要な課題です。

“トラストがある”とは

データ流通におけるトラストの技術は、自ら集めたデータの利用においても他者のデータを使うときにも重要です。

データを利用する際に個人を含む他者の権利利益を侵害しないように配慮してくれるという信頼。権利利益を適切に保護してくれるなど、自分のデータをきちんと扱ってくれるという信頼。つまり“トラストがある仕組み”が求められます。

また、このデータを使われても構わないというデータ主体のトラストがないと、社会システムとしてのデータ活用、データ流通は動かせません。データ自体がないとどうしようもありません。その両者を繋ぐものとしてフローが必要です。

自分が持っている情報が人に使われることをどう納得できるでしょうか。基盤・条件の同一化（イコール・フッティング）、データ収集の努力に対する報酬（リワード）などが考えられます。

DFFTは、こうした信頼がきちんと保証される仕組みを作らないと、今後の社会は動かないという課題が浮上してきたということでしょう。

認証によるトラスト

例えば、第9章で紹介するトラストサービスの中のタイムスタンプは、時刻を証明する外部機関が署名することにより真正性を付与します。公開鍵暗号基盤（public key infrastructure）の技術を使います。

実際、「真正性」「見読性」「保存性」確保の3つの基準を満たすことは容易ではありません。特に「真正性」の確保については技術的に十分な対応がとれず、運用による対策に依存せざるを得ないというシステムがほとんどです。

3-16で述べた「真正性」の確保には「個人認証」と「非改ざん証明」の2つの側面があります。このうち「個人認証」についてはパスワード、ICカード、指紋認証、虹彩認証など多様な解決方法が既に提示され実用化されており、技術的に十分なレベルに達していると判断されます。一方、「非改ざん証明」については技術的な解決方法がこれまで実用化されておらず、大きな課題となっています。

考察：データは誰のものか？

DFFTにはデータのオーナー・管理者（責任者）の把握が必要です。一方でデータを取得するにはそれなりのお金も手間も掛かります。

例えば、P.89の図で、工場内のセンサー内蔵機器を導入し、ネットを経由してデータを収集し、解析してもらうシステムを考えてみましょう。

提供元の機器から最終の保存・処理先までに一次保存を含め、データのステークホルダーを確認するポイントは数か所あります。

これらの各ポイントでデータの権利の帰属の確認・承諾先はいくつあるでしょうか？ また各ポイントで誰がデータを利用できるでしょうか？

少なくとも次のステークホルダーが考えられます。

- センサーを所有しているステークホルダー
- センサーを設置する場所のオーナー
- センサー自体を提供しメンテナンス管理している機器メーカー
- データを分析する事業者

3-20で紹介するDTAが作成したパーソナルデータリファレンスアーキテクチャの「ユースケースシナリオテンプレート」では「ステークホルダーリスト」「ビジネス関係」「データリソースマップ」「トラストリソースマップ」「データフローシーケンス」「法制関係図」の6種類のユースケースシナリオテンプレートを用意しました。

パーソナルデータに限らず、データ利活用するシステムを設計・検討する際は、各事業者がデータの取り扱いの適正性や潜在する課題を顕在化し、適切なデータの利活用モデルを普及させる流れを、このテンプレートを用いて可視化し整理することが有効です。

データは誰のもので、誰が利用できるか

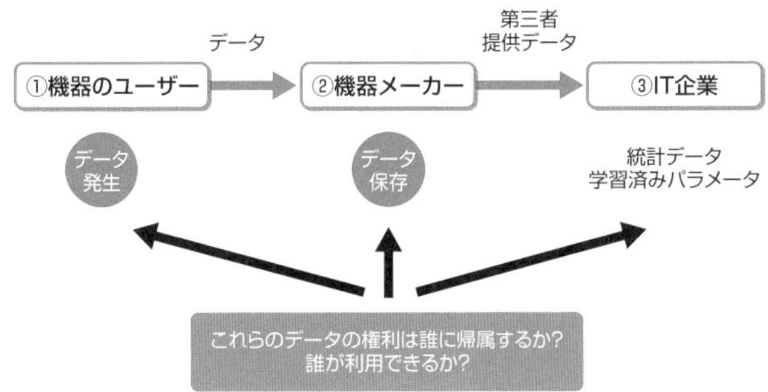

3-18

DTAの取り組み

ここまで、データとデータ活用社会に求められる技術と標準について説明してきました。こうした技術動向などをふまえ、一般社団法人データ流通推進協議会（以下、DTA）が進めている、データ提供者が安心して、かつスムーズにデータを提供でき、またデータ利用者が欲するデータを容易に判断して収集・活用できる技術的・制度的環境の整備状況をご紹介します。

データ流通市場の課題

データ駆動型社会を実現するためには、データの生成・収集・流通・分析・活用がスムーズに連携した社会全体のエコシステムが形成される必要があります。とくにデータ流通に関しては、個人や組織が単独で取り組むことが困難な分野です。また特定の組織が中心となった小規模なデータ流通グループの乱立は、データ流通のブロック化をもたらし、結果としてデータの相互運用を阻害しかねないという課題があります。

データ流通自体、民間での事業として未成熟な分野であり、データ流通を事業として成立させるためには、その課題の洗い出し、整理、解決に向けた取り組みが求められます。多種多様なプレイヤーがデータ流通という共通の目的に向かって取り組むことで、様々な立場や観点からの洞察が生まれ、データ流通における課題の早期発見とその解決策を見つけることができるようにしていく必要があります。

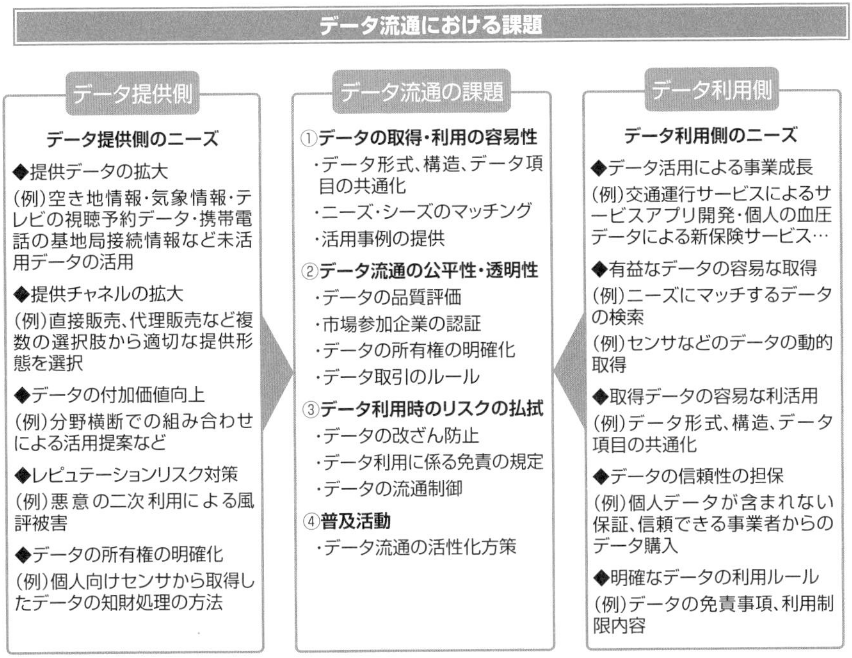

データ流通における課題

データ提供側	データ流通の課題	データ利用側
データ提供側のニーズ ◆提供データの拡大 (例)空き地情報・気象情報・テレビの視聴予約データ・携帯電話の基地局接続情報など未活用データの活用 ◆提供チャネルの拡大 (例)直接販売、代理販売など複数の選択肢から適切な提供形態を選択 ◆データの付加価値向上 (例)分野横断での組み合わせによる活用提案など ◆レピュテーションリスク対策 (例)悪意の二次利用による風評被害 ◆データの所有権の明確化 (例)個人向けセンサから取得したデータの知財処理の方法	**①データの取得・利用の容易性** ・データ形式、構造、データ項目の共通化 ・ニーズ・シーズのマッチング ・活用事例の提供 **②データ流通の公平性・透明性** ・データの品質評価 ・市場参加企業の認証 ・データの所有権の明確化 ・データ取引のルール **③データ利用時のリスクの払拭** ・データの改ざん防止 ・データ利用に係る免責の規定 ・データの流通制御 **④普及活動** ・データ流通の活性化方策	**データ利用側のニーズ** ◆データ活用による事業成長 (例)交通運行サービスによるサービスアプリ開発・個人の血圧データによる新保険サービス… ◆有益なデータの容易な取得 (例)ニーズにマッチするデータの検索 (例)センサなどのデータの動的取得 ◆取得データの容易な利活用 (例)データ形式、構造、データ項目の共通化 ◆データの信頼性の担保 (例)個人データが含まれない保証、信頼できる事業者からのデータ購入 ◆明確なデータの利用ルール (例)データの免責事項、利用制限内容

出典:「データ流通プラットフォーム間の連携を実現するための 基本的事項 」(IoT 推進コンソーシアム 総務省 経済産業省)
https://www.meti.go.jp/press/2017/04/20170428002/20170428002-1.pdf

DTAの活動

DTAには、データ流通に関わる事業に取り組む団体や、データ流通に関心のある約120の団体が参加しています。データ流通を実現するために欠かせない、データ流通事業者間でのデータの相互運用を目指し、主に以下のような活動を行っています。

- データ利活用ビジネス創出のための事業者マッチング
- データ流通実証実験の実施
- データカタログ仕様、データ形式（共通語彙）仕様、データ交換API仕様の検討
- データ品質ガイドラインの策定

- データ取引市場運営事業者認定基準の策定
- データ取引市場運営事業者認定チェックリストの策定
- データ流通に関する国際標準化の推進

DTAの活動は、市場の要請、またデータ流通をとりまく技術動向の変化に応じて、適宜その範囲を拡張したり集約したりしています。DTAは、機械判読性や相互運用性といったデータ流通を支えるデジタルな技術論に加え、標準の運用管理やステークホルダー間の調整などを行う場として機能します。データ流通、データ活用は社会の要請であることから、特定者の利益に偏重しないオープンなコンソーシアム形態で運営しています。

DTAの公表資料

DTAはその活動の成果物として以下の文書を公表しています。

- データ取引市場運営事業者認定基準_D2.0（2018年8月公表）*
- データ取引市場運営事業者認定基準_説明_REV1.1（2018年8月公表）
- データカタログ作成ガイドラインV1.1（中間とりまとめ）（2019年2月公表）*
- パーソナルデータリファレンスアーキテクチャ*

＊**データ取引市場運営事業者認定基準_D2.0**：第7章参照。
＊**データカタログ作成ガイドラインV1.1**：3-19参照。
＊**パーソナルデータリファレンスアーキテクチャ**：3-20参照。

3-19 DTAデータカタログ標準

データ取引やデータ流通を目的とするデータカタログは、極力多くの市場参加者がその内容について同じ認識をもてることが重要です。そのため、データ流通推進協議会（DTA）はカタログの定義と作成方法に関する標準化を進めています。ここでは、DTAデータカタログの構成と定義、実装例をご紹介します。

データ流通向けデータカタログの要件

「データ取引」「データ流通」を目的とするデータカタログは、多様なデータ提供者が迷わず記入したり更新したりでき、かつデータ活用者がデータセットの意図通りにその情報と価値を理解し、購入の可否を判断できる必要があります。多様な事業者が出店するECサイトで、商品の内容や値段を比較検討できるのと同等の機能と考えるとわかりやすいでしょう。

比較検討可能であるためには、市場参加者が「カタログというもの」について、どのデータ項目にどのような情報がどういった基準で記載されるべきなのか、共通認識をもたなくてはいけません。DTAが2018年にデータカタログの標準を定義するとともに「データカタログ作成ガイドライン」を公開したのも、幅広く相互運用性の高いカタログが活用されることで、組織や分野を横断してもデータセットの検索や比較が容易になり、データ流通促進に資すると考えるからです。

4つの大構造部

DTAのデータカタログ定義は、4つの大構造部から構成され、データセットの特性や市場参加者のニーズに応じて柔軟に組み合わせられます。また、先行する国際標準を参考に、極力相互運用性を確保できるように設計されています。「①データカタログ本体部」以外は適宜必要な大構造部やデータ項目を取捨選択できます。

◆①データカタログ本体部

データカタログを特定するための項目やデータセットの概要を記載します。カタログ、カタログレコード、データセット、配信に細分化され、42のデータ項目を定義しています。国際標準化団体W3C Dataset Exchange Working Group（DXWG）の議論を参考にしています。

◆②データジャケット部

16のデータ項目を定義しています。「データジャケット®*」は、データ共有促進のためのコミュニケーションツールで、国内外で利用が進んでいます。人による可読を前提としてデータの価値発見を促すためのデータ項目です。

◆③データ詳細部

観測活動、センサー、観測対象、観測特性、観測プラットフォームの5つに分類され、21のデータ項目を定義しています。データの種類に応じた詳細情報で、W3C Spatial Data on the Web Working Group（SDWWG）の動的データ定義の概念と用語を参照しています。主にIoT関連データセットの説明に使われることを想定しています。

◆④データ利用条件部

契約ポリシー、利用条件、データ保護要件、利用期間、価値・支払い、保証の6つに分類され、22のデータ項目を定義しています。データ流通に関する契約等に必要なデータ項目です。経済産業省「AI·データの利用に関する契約ガイドライン」（2018年6月）のひな型を参照しています。

＊**データジャケット®**：データジャケット®は東京大学大澤幸生氏・早矢仕晃章氏の登録商標。DTAは両氏より商標の利用許諾を得ている。データジャケットhttps://datajacket.org/

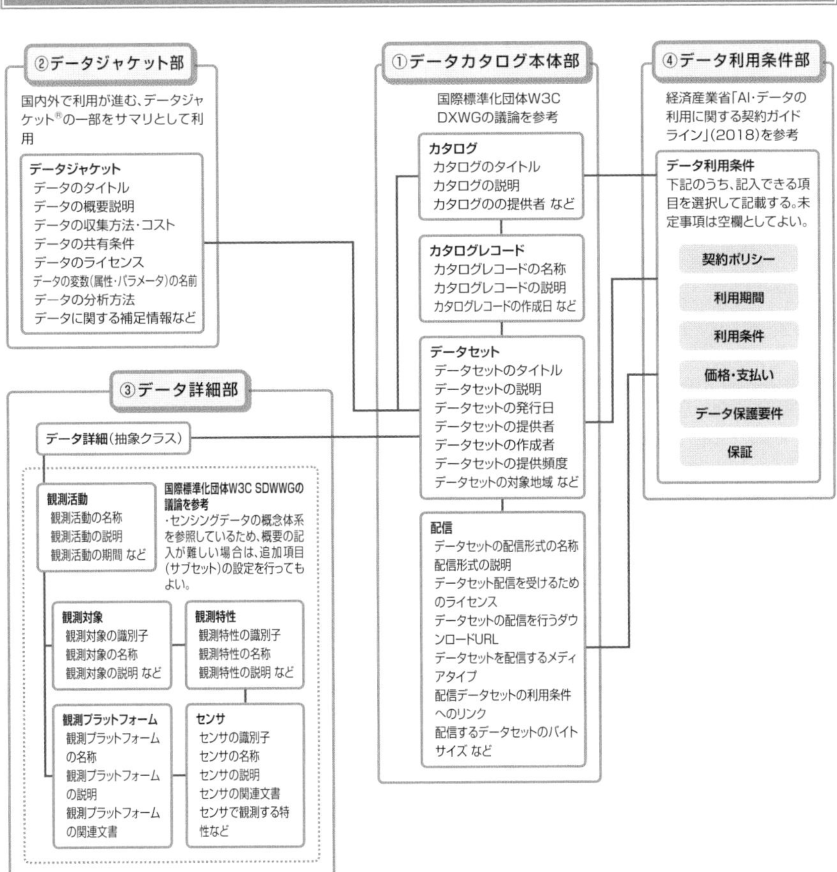

DTAデータカタログ定義

例えば項目No.102の「カタログID」の項目をみると、見出し欄に「カタログID」、出現回数に「1..1」、値域(データタイプ)に「文字列型(xsd:string)」、説明欄に「＜説明＞このカタログをユニークに識別するための管理IDです。＜入力ルール＞カタログの作成者が、ユニークになるような規則(例えばURIなど)を決め、発行することを推奨します。」と記載されています。これは、カタログ中の「カタログID」というデータ項目には「1回だけ必ずカタログIDが出現」し、記述する値のデータ型は「文字列」であることを定義し、さらに「カタログID」の説明と値の入力ルールを示しています。「1回だけ必ず」という厳密さに比べ「推奨します」という表現がややおおらかに感じるかもしれませんが、厳密にしすぎて記述できないよりも、まずはこの定義が活用されて市場参加者が使いやすい定義へ収れんしていくことを想定しています。

さらに右側の列にサンプル値Aからサンプル値Cを記載することにより、カタログに値を記載するデータ提供者が極力迷わない工夫をしています。サンプル値の記載は、各データ項目の定義が妥当であり入力しやすいかどうかの検証という目的でも実施したものです。

DTAデータカタログ定義

データカタログ作成ガイドラインV1.1（中間とりまとめ） 項目定義書

※領域(データタイプ)に、リンクと記載している項目は、カタログの全体構造をリンクとして表現しているものであり、入力対象項目ではありません。

※サンプル値に「※」が入っているものは、値ではなく、注意書きです。

項目No	大構造	見出し	出現回数	領域(データタイプ)	説明	サンプル値A(バイタル観測系)フロー型	サンプル値B(バイタル観測系)ストック型	サンプル値C(バイタル観測系)ダウンロード型
①データカタログ本体部								
101	①	カタログ	1..1		<説明> データカタログ本体部を定義します。データカタログ本体部は、カタログ、カタログレコード、データセット、配信から構成します。			
102	①	カタログID	1..1	文字列型(xsd:string)	<説明> このカタログをユニークに識別するための管理IDです。 <入力ルール> カタログの作成者が、ユニークになるような規則(例えばURIなど)を決め、発行することを推奨します。	http://example.com/dataservice/datacatalog/ABC-b0613479/	http://example.com/dataservice/datacatalog/ABC-b0613480/	http://example.com/dataservice/datacatalog/ABC-b0613480/
103	①	カタログのタイトル	1..n	文字列型(xsd:string)	<説明> このカタログの名称です。 <入力ルール> 登録しようとしているデータをひと言で言い表すタイトルを記載してください。	健康データマーケットプレース	健康データマーケットプレース	健康データマーケットプレース
104	①	カタログの説明	1..n	文字列型(xsd:string)	<説明> このカタログの内容の説明です。 <入力ルール> このカタログに、収録されているデータを踏まえて、データの特徴を第三者に理解してもらうための説明を記載してください。	インターネットで取得可能な健康測定データのカタログ	インターネットで取得可能な健康測定データのカタログ	インターネットで取得可能な健康測定データのカタログ
105	①	カタログの発行日	0..1	日付型(xsd:date)	<説明> このカタログを発行した日付です。 <入力ルール> このカタログを発行した日付を記載してください。データセットの発行日や配信の開始日は、別に記入欄があります。 入力形式:YYYY/MM/DD	2018/04/01	2018/04/01	2018/04/01
106	①	カタログの最終更新日	0..1	日付型(xsd:date)	<説明> このカタログを最後に更新・修正した日付です。 <入力ルール> このカタログを最後に更新・修正した日付を記載してください。データセットや配信のほうだけを変更した場合は、そちらの記入欄を使い、この項目は修正しないでください。 入力形式:YYYY/MM/DD	2018/05/01	2018/05/01	2018/05/01
107	①	カタログ作成に用いた言語	0..n	言語型(xsd:language)	<説明> このカタログがどの言語で記述されているかを示す情報です。 <入力ルール> 国際標準化機構のISOが発行している「ISO 639言語コード」を参照して、アルファベット2文字(ないしは3文字)で記載してください。例えば、日本語の場合は、jaと記載します。	ja	ja	ja
108	①	カタログ記載のホームページ	0..1	文字列型(xsd:string)	<説明> このカタログのホームページのURLです。 <入力ルール> このカタログのホームページのURLを記載してください	http://example.com/HomePage/1	http://example.com/HomePage/1	http://example.com/HomePage/1
109	①	カタログの提供者	1..1	文字列型(xsd:string)	<説明> このカタログを提供する組織・機関の名称です。 <入力ルール> このカタログを提供する正式な組織・機関の名称を記載してください。個人でカタログを提供する場合には、権利・責任を持つ方は、個人名を記載してください。	○○株式会社 データサービス事業部	○○株式会社 データサービス事業部	○○株式会社 データサービス事業部
110	①	カタログの対象地域	0..n	文字列型(xsd:string)	<説明> このカタログの対象地域です。 <入力ルール> このカタログの対象地域を記載してください。	http://ja.dbpedia.org/page/関西 ※Dbpediaの語彙を用いた例を示す。	http://ja.dbpedia.org/page/関西 ※Dbpediaの語彙を用いた例を示す。	http://ja.dbpedia.org/page/関西 ※Dbpediaの語彙を用いた例を示す。
					<説明>			

出典：データ流通推進協議会「データカタログ作成ガイドV1.1（中間とりまとめ）項目定義書」より

標準の活用

上述したように、DTAデータカタログの各大構造部は、それぞれすでによく利用されている標準やルールを参照して設計されています。特別な制約などがない限り、極力標準仕様を用いたほうが、多くの市場参加者がカタログを作成しやすく、活用しやすいという基本方針に則ったものです。この方針は、データセットを検索でき、所在がわかり、アクセスできること、かつ、データの品質に対して、データセットを売る人と買う人があらかじめ合意できるというデータカタログの役割を適えるためのものです。

カタログを通じて流通したデータセットは、利用シーンにおいて作成時の目的と異なる価値を創造する可能性があります。そうした気づきなども適宜カタログへ反映していくと、データ活用の知見が可視化された資産に育つと期待されます。

事例紹介：JEITAのスマートホームデータカタログ

「データカタログ作成ガイドラインV1.1」は、一般社団法人電子情報技術産業協会（JEITA）のスマートホーム部会「JEITA スマートホームデータカタログ項目定義書V1.0」*に採用され、機器・住宅設備・サービス提供事業者など、同部会参加者が相互に理解し取引可能なデータカタログの整備が進んでいます。スマートホームを実現する宅内分野間データ連携の枠組みとして期待されます。

いま日本に求められるのは、内外のデータを相互につなぐデータ活用社会への転換です。DTAが描くデータ流通市場においては、足りないデータを外部から補完でき、有益なデータ資産が対価を産むと期待されます。データ流通事業者などの運用と技術に関する基準、基準に基づく認証制度が市場の共通ルールとして整備されれば、ビジネスとしての市場参加者及びビジネスサービスを利用する一般ユーザー、データを活用する官民と社会が、合意の上でデータ駆動型社会の恩恵を享受できるのです。

＊**JEITA スマートホームデータカタログ項目定義書V1.0**：https://www.jeita.or.jp/japanese/pickup/category/190314.html

3-20 パーソナルデータリファレンスアーキテクチャ

パーソナルデータの活用は、個人のプライバシーという主権に限らず、社会生活や企業活動と密接に関わります。我が国が推進するDFFT（信頼ある自由なデータ流通）の実現にあたっては、社会全体におけるパーソナルデータの取り扱いの全体像を産官学民そして個人が共有した上で、慎重かつ開かれた議論や検討を進める必要があります。そのため、一般社団法人データ流通推進協議会（以下、DTA）では、データ流通におけるパーソナルデータの取り扱いを俯瞰するその見取り図（アーキテクチャ）の設計手法を検討し、手順書やツールにまとめています。

パーソナルデータへの期待

パーソナルデータの流通に対して、個人生活者の視点では、自らがデータの扱いを把握・制御できないことに対し、9-1で示すような漠然とした不安が存在します。パーソナルデータを取り扱う事業に取り組む企業や組織から見ると、そうした不安を解消し、企業・業界を超えたデータ流通・活用を推進するための社会合意や共通の課題対応方式が確立されていないという課題です。

パーソナルデータを含むDFFT実現のための政策や法制度は、第1章、第2章で説明した通り、今後も検討と整備が重ねられていきますが、3-1で説明した「データとは」、3-4「パーソナルデータとは」といった定義が曖昧なままだと、その議論に齟齬が生じかねません。とくに個人から見たとき、「不安」が増大してしまう危険があります。

そこでDTAは、想定される様々なパーソナルデータ活用ビジネスがビジネスとデータの流れを設計するための手引書「パーソナルデータリファレンスアーキテクチャ」を開発しました。

パーソナルデータリファレンスアーキテクチャ

パーソナルデータリファレンスアーキテクチャは、Society 5.0リファレンスアーキテクチャに基づき、アーキテクチャ設計に必要な6つの要素を特定しています。

Society 5.0リファレンスアーキテクチャと6つの設計要素

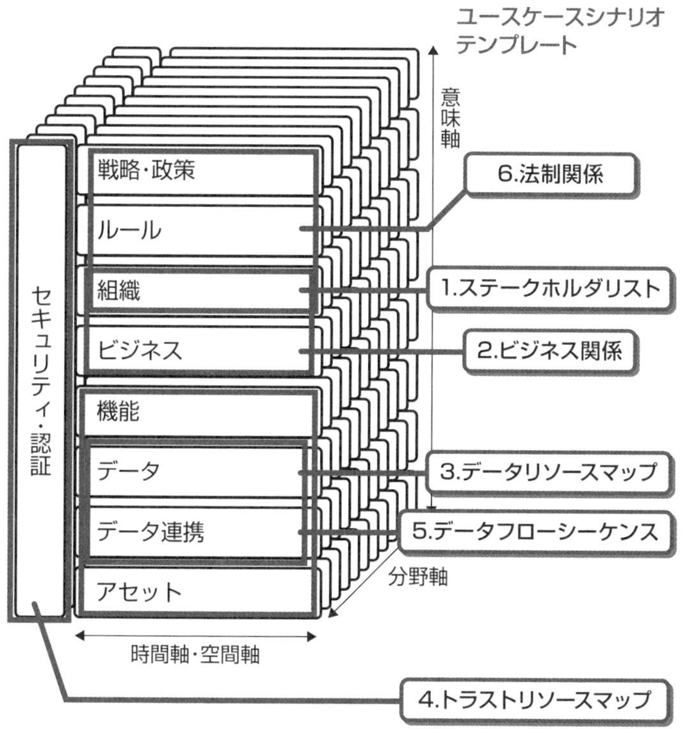

実際のアーキテクチャ設計には、P.100上図の通りプロジェクト概要及び6つの要素ごとにステークホルダー、生成、加工、移転といったライフサイクル別のデータや処理、信頼とデータの対価の流れを書き込めるテンプレートを用意しています。

ユースケースシナリオテンプレートと検討・整理の対象		活用シーン例
プロジェクト概要 適用するプロジェクトとアーキテクチャ設計者、設計日	▶	プロジェクトとの整合やアーキテクチャ設計履歴の管理、再利用、見直し
1.ステークホルダリスト どのような個人や事業者が関与するか	▶	ステークホルダごとのパーソナルデータの扱い範囲と役割、責任を確認
2.ビジネス関係図 ステークホルダ間のビジネス関係はどうなっているか	▶	契約や事前の説明・同意が必要なビジネス関係を確認
3.データリソースマップ どのようなデータが、どこでどう扱われるか	▶	匿名化・統計化など処理やセキュリティといった配慮の度合いと所在を確認
4.トラストリソースマップ ステークホルダ間の認証・認可はあるか	▶	ステークホルダ間トラスト、データに対するトラストの度合いと所在を確認
5.データフローシーケンス ステークホルダ間のデータの流れと処理はどうなっているか	▶	同意・同意取り消しなどに伴い必要なデータ処理手順やシステム機能を確認
6.法制関係図 どのような法制が関係するか	▶	ステークホルダごとに配慮すべき法制と遵守のための手続きを確認

また、テンプレートに書き込んでいくステークホルダー、データ処理とそれに関わるストレージなどのハードウェア、信頼のための説明や同意、契約といったビジネス行為、対価などの要素を定義した上で標準アイコンを整理しています。

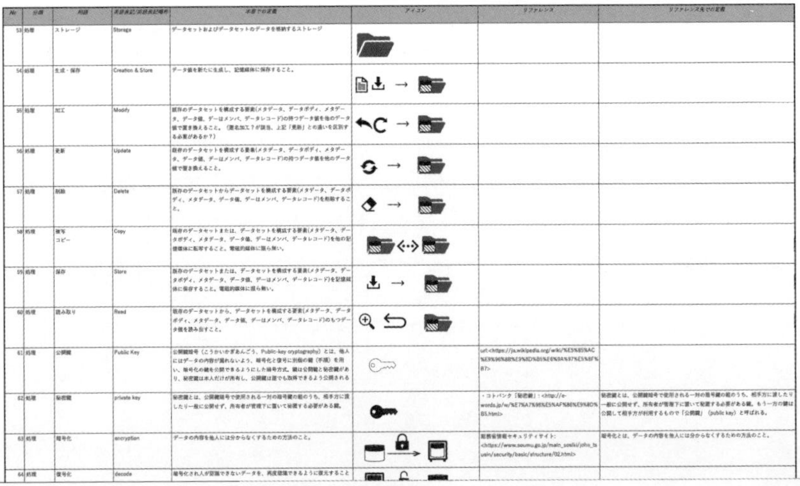

No	分類	用語	英語表記/英語表記略称	本書での定義	アイコン	リファレンス	リファレンス先での定義
53	処理	ストレージ	Storage	データセットおよびデータセットのデータを格納するストレージ			
54	処理	生成・保存	Creation & Store	データ値を新たに生成し、記憶媒体に保存すること。			
55	処理	加工	Modify	既存のデータセットを構成する要素(メタデータ、データボディ、メタデータ、データ値、データメンバ、データレコード)の持つデータ値を他のデータ値で置き換えること。（匿名加工？が該当、上記「更新」との違いを区別する必要があるか？）			
56	処理	更新	Update	既存のデータセットを構成する要素(メタデータ、データボディ、メタデータ、データ値、データメンバ、データレコード)の持つデータ値を他のデータ値で置き換えること。			
57	処理	削除	Delete	既存のデータセットからデータセットを構成する要素(メタデータ、データボディ、メタデータ、データ値、データメンバ、データレコード)を削除すること。			
58	処理	複写 コピー	Copy	既存のデータセットまたは、データセットを構成する要素(メタデータ、データボディ、メタデータ、データ値、データメンバ、データレコード)を他の記憶媒体に転写すること。電磁的媒体に限ら無い。			
59	処理	保存	Store	既存のデータセットまたは、データセットを構成する要素(メタデータ、データボディ、メタデータ、データ値、データメンバ、データレコード)を記憶媒体に保存すること。電磁的媒体に限ら無い。			
60	処理	読み取り	Read	既存のデータセットから、データセットを構成する要素(メタデータ、データボディ、メタデータ、データ値、データメンバ、データレコード)のもつデータ値を読み出すこと。			
61	処理	公開鍵	Public Key	公開鍵暗号（こうかいかぎあんごう、Public-key cryptography）とは、他人にはデータの内容が漏れないよう、暗号化と復号に別個の鍵（手順）を用い、暗号化の鍵を公開できるようにした暗号方式。鍵は公開鍵と秘密鍵があり、秘密鍵は本人だけが所有し、公開鍵は誰でも取得できるよう公開される		url:<https://ja.wikipedia.org/wiki/%E5%85%AC%E9%96%8B%E9%8D%B5%E6%9A%97%E5%8F%B7>	
62	処理	秘密鍵	private key	秘密鍵とは、公開鍵暗号で使用される一対の暗号鍵の組のうち、相手方に渡したり一般に公開せず、所有者が管理下に置いて秘匿する必要がある鍵。		・コトバンク「秘密鍵」:<http://e-words.jp/w/%E7%A7%98%E5%AF%86%E9%8D%B5.html>	秘密鍵とは、公開鍵暗号で使用される一対の暗号鍵の組のうち、相手方に渡したり一般に公開せず、所有者が管理下に置いて秘匿する必要がある鍵。もう一方の鍵は公開して相手方が利用するもので「公開鍵」（public key）と呼ばれる。
63	処理	暗号化	encryption	データの内容を他人には分からなくするための方法のこと。		総務省情報セキュリティサイト:<https://www.soumu.go.jp/main_sosiki/joho_tsusin/security/basic/structure/02.html>	暗号化とは、データの内容を他人には分からなくするための方法のこと。
64	処理	復号化	decode	暗号化され人が認識できないデータを、再度認識できるように復元すること			

ユースケースシナリオテンプレートの活用例

実際には、ビジネスモデル、ステークホルダーとデータ流通における役割を整理した上で、下図のようにアイコンを配置し、データや信頼の流れを矢印で結んでいきます。

図の例はドライブレコーダー映像データの加工・販売ビジネスモデルです。このケースでは、映像に映り込んだ通行人のプライバシーに対する配慮、データ蓄積事業者との契約形態といった課題を把握することができました。

ビジネス関係図のイメージ

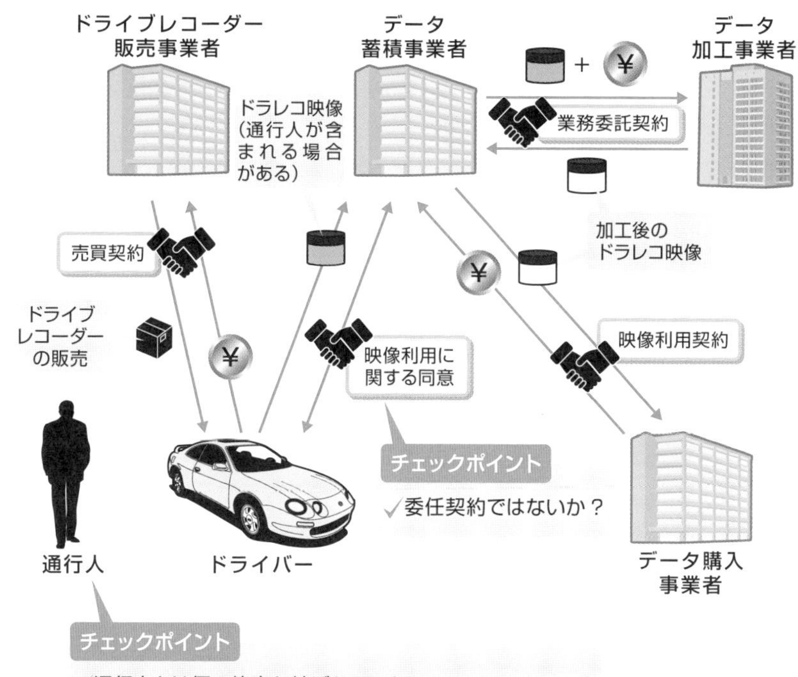

このアーキテクチャは、設計の過程でも漏れや課題、また解決策を浮上させるようになっているため、1か所を変更すると他のテンプレートにも影響があります。いずれにせよビジネス、データ処理、信頼、データ流通、法制度という異なる観点で行きつ戻りつデザインを精査し、最後に全体の整合をとっていく使い方を想定しています。

個々のビジネスではビジネスモデルや技術進化への対応時にも適宜確認と見直しに活用できます。またこのように共通のテンプレートと手順を用いて様々な官民ビジネスにおけるパーソナルデータのアーキテクチャが設計されることで、信頼ある自由なデータ流通のために検討すべき契約、データ処理手段の課題を明らかにできると期待しています。

詳細な手順や解説、実際のビジネスモデルへの適用例も併せて公開しています。本パーソナルデータリファレンスアーキテクチャは、皆さまに参加してもらい、実態に合わせて精査していくためのアーキテクチャなので、多くのビジネスで使って活用しフィードバックをいただきたい考えです。公開URLは下記です。

2019年度SIPパーソナルデータ分野アーキテクチャ構築DTA公開
https://data-trading.org/sipb-1_personaldataarchitecuture_dta/

第4章

PDS（パーソナルデータ・サービス／ストア）

企業や公共機関が、顧客名簿や取引履歴、DM 送付先、あるいは住民基本台帳や学生の履修履歴といった個別業務システム、ときには紙の台帳で蓄積し処理してきた、私たちのデータ。さらに今後ウェアラブルデバイスなどを通じた取得・蓄積が進む、移動や健康状態などのデータ。PDS は、こうしたパーソナルデータを、私たち自身が主体となって、私たち自身が資産として管理するデジタルな場です。

4-1 PDSとは

私たちの属性、あるいは移動や購買といった行動を通じて生成するパーソナルデータ*は、長らく企業や公共機関の個別システム内で管理されてきました。それらデータを、今後個人自らが資産として管理していくデジタルな場が「PDS」です。

個人が自ら主体的に管理するデータ資産

PDS（Personal Data Store）は、個人が、自分の属性（姓名、性別、生年月日、居住地など）や嗜好、行動（購買や運動などのライフログなど）といったデータを自分中心に名寄せして蓄積し、個人の意思のもとで管理するデータストアです。データストアを提供するサービスをPDS（Personal Data Service）という場合もあります。欧米では、PIMS（Personal Information Management System）と呼ばれることが多いようです。

PDSは、個人自らがデータ資産の形成と管理、運用を行うデジタルな場です。ウェブサイトやアプリ、ウェアラブルデバイスなどを通じて企業などに蓄積されるデータを含め、何のデータをどう蓄積し、どう運用（どのデータ提供先*にどう提供してどんな対価を得ていくか）を決定し、好きなときに運用方法を変更します。運用はお金と同様に第5章で紹介する「情報銀行*」に委託することもできます。

PDSにはデータのトレーサビリティ、本人によるポータビリティ、削除や利用権の制御といった機能が求められます。ただし、信用スコア*や4-7でとりあげる「e-ポートフォリオ」のように、職務経歴や成績、受診歴など、個人自らはデータを編集できないしくみの保証によって初めて価値を持つPDSもあります。

---

* **パーソナルデータ**：「パーソナルデータ」に2020年7月時点で明確な定義はない。一般社団法人データ流通推進協議会（DTA）では「個人情報のうち、紙媒体、電子媒体を問わず、特定の個人情報を検索できるように体系的に構成したもの（個人情報データベース等）に含まれる個人情報。個人情報を構成しうる全部または一部のデータ」としており、本書ではDTAの定義に従う。3-8を参照。

* **データ提供先**：ここでは、主にパーソナルデータの提供を受け、サービス・製品や自らの事業に利用する企業、公共機関などの幅広い法人を指す。データ取引市場におけるプレイヤーの区分とデータ提供先については第7章でとりあげる。

* **情報銀行**：情報銀行は、PDSなどのシステムを活用して個人のデータを管理し、個人の指示やあらかじめ合意した条件などに基づいてデータを第三者に提供したり、データの対価を受け取って個人へ還元したりする、資産運用の機能を担う事業やサービス。第5章を参照。

* **信用スコア**：5-2参照。

PDSの例

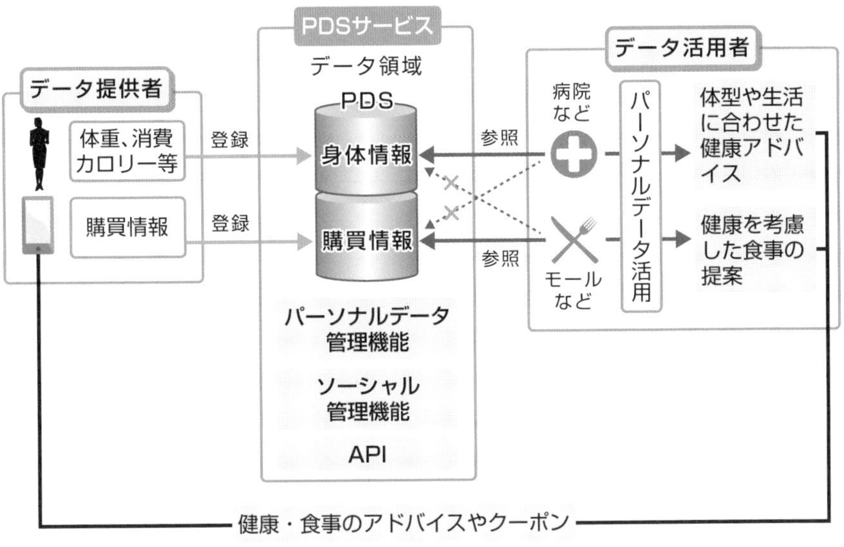

CRMからVRMへ

パーソナルデータは、従来個々の企業や公共機関などがマーケティングやサービス提供のために構築したCRM（Customer Relationship Management）などのシステムに蓄積され活用されてきましたが、PDSでは主体や対象データが変わります。

CRMでは各企業が主語で利用条件を提示し、CRMが管理する顧客接点で生成される購買などのデータに基づき、ポイントなどの対価を個人に還元しますが、PDSは個人が主語でデータ自体の活用を企業などに許諾します。そのため、個人とデータ提供先との間に商取引関係が存在しない場合がありますし、提供データがCRM上で生成されるとは限りません。CRMとの対比でいうと、ベンダーをユーザーが管理するVRM（Vendor Relationship Management）*に近い考え方です。データ提供先から見ると、データそれ自体への対価を、データ生成者へ直接提供できる枠組みでもあります。

PDSによって企業や公共機関、教育機関などのデータ提供先が、特定のシステムのみに依存することなく、個人との信頼と合意の上でデータをより高度に活用

*VRM：ITジャーナリストのDoc Searls氏が2006年にハーバード大学で発足させたProject VRMに端緒し、2012年以降はVRM原則を支援する非営利団体Customer Commonsに継承されている。

でき、活用の結果として直接的にあるいは間接的に、個人にも対価や便益を還元しやすくします。

PDSはCRMやVRMと同様、特定のシステムではなく、概念です。PDSの仕組みについては4-3、PDSの種類は4-4でとりあげます。

従来のCRM（上）とPDSで実現するVRM（下）のイメージ

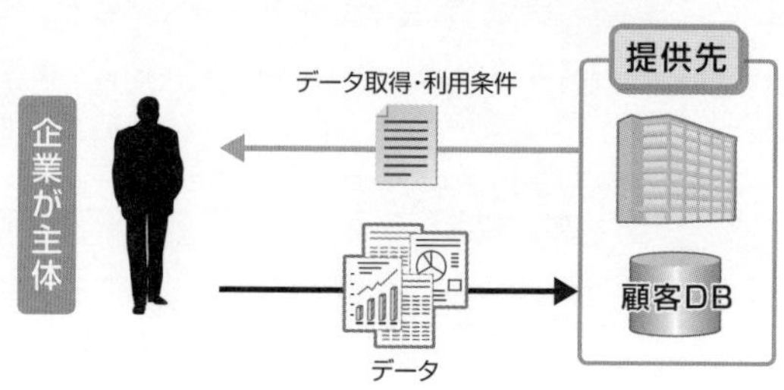

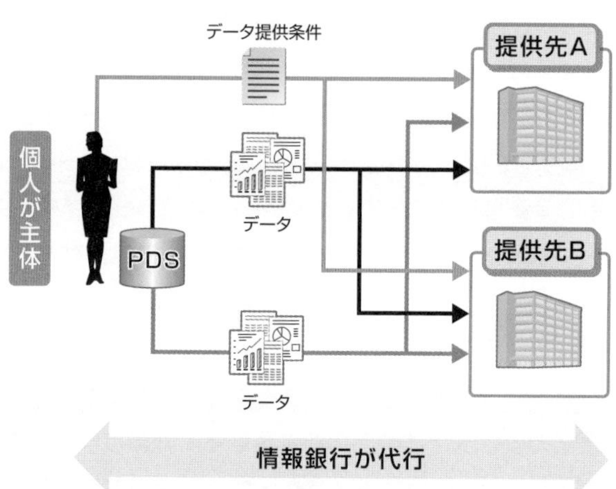

4-2

PDSが求められる背景

PDSは、海外に比べ出遅れるパーソナルデータ活用の阻害要因を減らすために必要なデータストア像の概念を示し「データの安全・安心な活用*」に与します。ここではパーソナルデータ活用の阻害要因から、PDSが求められる背景を見ていきます。

データ提供先の柔軟な運用を可能に

ご承知の通り、個人情報の目的外利用は禁じられ、同意の上で取得したデータも、部門をまたいだ活用はできません。たとえば、要介護認定を受けた高齢者の名簿は、災害時の優先的な支援には活用できないことになっています。このため2014年に改正された災害対策基本法で、別途自治体に「避難行動要支援者名簿」の整備*が求められ、2019年度末までに1740市町村のうち99.9%が名簿を作成予定とのことです。

そうした法制度の課題などもハードルとなって、P.108のグラフの通り、日本企業におけるパーソナルデータ活用は海外から後れをとっています。PDSは目的外利用を許容するものではありませんが、個人を主語にすることにより、パーソナルデータ活用の目的や技術の変化に伴う適宜の同意を取りやすくします。

また、2020年新型コロナウィルス対策として1人10万円の「特別定額給付金」給付のため基礎自治体が銀行口座番号を収集しましたが、給付後このデータは破棄される見込みです。せっかく集めた銀行口座データですが、別の給付などで活用することは「個人情報の目的外利用」と解釈されるからです。

総務省はマイナンバーと個人の銀行口座番号を紐付けられるよう、2021年度国会で法改正を目指すものの、ウィズコロナ時代、そして災害大国である我が国で、国民支援のためのデータ活用が進んでいない現状を示す最たる例といえます。

---

* **データの安全・安心な活用**：6-1で説明する通り、官民データ活用推進基本法は、データの「保護」一辺倒から「安全・安心な活用」へと基本思想を転換している。
* **「避難行動要支援者名簿」の整備**：「避難行動要支援者名簿の作成等に係る取組状況の調査結果等」https://www.fdma.go.jp/pressrelease/houdou/items/191113_hinan_tyousa_1.pdf

サービス開発・提供などのパーソナルデータ活用状況

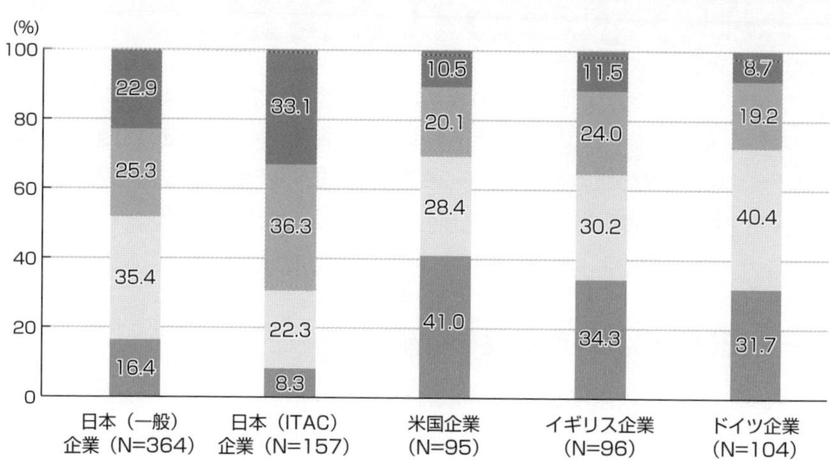

■すでに積極的に活用している　■ある程度活用している
■まだ活用できていないが、活用を検討している　■活用する予定はない

出典：「安心・安全なデータ流通・利活用に関する調査研究」（総務省、2017年）

「PDS」「情報銀行／情報信託」の利用意向

■利用したい　■やや利用したい　■あまり利用したくない　■利用したくない

	n=	利用したい	やや利用したい	あまり利用したくない	利用したくない	利用したい計	利用したくない計
PDS（パーソナルデータストア）	175	11.4	29.1	47.4	12.0	40.6	59.4
情報銀行／情報信託	260	8.1	25.4	52.3	14.2	33.5	66.5

【基数：サービス認知者】

出典：「我が国におけるデータ活用に関する意識調査」（内閣官房 情報通信技術（IT）総合戦略室、2019年）

内閣官房情報通信技術（IT）総合戦略室の調査によると、個人は40.6%がPDSを「利用したい」または「やや利用したい」と回答していて、情報銀行／情報信

託の利用意向33.5%に比べると抵抗感は低いようです（P.108下図）。PDSで安全にデータの生成～利用許諾～対価や便益の享受までの出入りを可視化し、個人がメリットを実感できれば、パーソナルデータ活用に対する個人の不安が軽減され、データ提供のモチベーションにつながると期待されます。

CRMデータの限界

CRMデータが、法規制の厳格化に伴い高騰する個人情報取り扱い費用に見合った投資対効果を上げづらい状況も、パーソナルデータ活用阻害要因の1つです。CRMは1法人とユーザーがあらかじめ同意し、直接取引において生成されたデータだけが対象です。どの自社製品が好きかはわかりますが、買わなかった製品や他に利用中のアプリ、サービスなど幅広い嗜好を知ることはできず、結果、ニーズに合わない提案を生みがちです。

こうしたパーソナルデータ活用の阻害要因の軽減も、PDSが求められる背景です。スマートフォンやウェアラブル端末といったデバイス、オムニチャネル、5G、エッジコンピューティングなど、取得や流通、リアルタイムフィードバックといったデータ活用関連技術は今後もどんどん進化するため、進化のたびに1法人が各ユーザーの同意を得てCRM設計を見直すより、必要なとき、個人が自ら設定したPDSを通じて提供するデータを活用するほうが、企業にとっても本人にとっても有益な可能性が高いのです*。

他方、CRMに依らないウェブマーケティング手法としては第3章で触れた「Cookie」が使われてきましたが、特にユーザーからデータ流通経路を把握しづらい「サードパーティ Cookie」の利用については、データ保護の観点からApple、Googleともに段階的な廃止を目指しています。CRMにせよCookieにせよ、個人ユーザーが明確に同意していないデータやデータ取得のシステム、技術は、今後の投資対象として適切ではないと考えていいでしょう。

*…**高いのです**：「個人情報保護法いわゆる3年ごと見直し制度改正大綱」は、データ活用が多様化するAI・ビッグデータ時代において「本人があらかじめ自身の個人情報の扱いを網羅的に把握」する困難、「本人の予測可能な範囲内で適正な利用」がなされる環境の重要性に言及している。

4-3 PDSの仕組み

PDSは特定のシステムではなく概念ですが、データは個人のものという前提を適えるために必要な機能要件はEUなどが定義しています。どのような仕組みが求められるでしょうか。

欧州データ保護監督庁の保護原則

欧州データ保護監督官(European Data Protection Supervisor : EDPS)は、2016年にPDS（PIMS）に求められる10の保護原則＊（Protection Principles)を公開しています。データ主体である個人が、本人の意思により、誰と、何の目的で、どのような処理を経て、どのくらいの期間、どの地域において自らのデータ利用を許諾するかを決定し、制御できる機能が求められます。

◆PDS（PIMS）に求められる10の保護原則

1. 効果的な同意管理
2. 個人によるデータへのアクセスや修正、ポータビリティの制御とデータ品質保証
3. 初期設計、標準としてのデータ保護と相互運用性
4. 許諾を越えた再利用の厳密な抑制
5. 透明性とトレーサビリティ
6. データセキュリティ
7. データの地理的な移転
8. PDS(PIMS)としての責務、責任
9. 個人の便益に基づく持続性のあるビジネスモデル
10. データの「販売(Selling)」ではなく「利用許諾(Authorizing use of)」

＊**PDS(PIMS)に求められる10の保護原則**：European Data Protection Supervisor,"EDPS Opinion on Personal Information Management Systems",2016

想定される個人の権利と法人の義務（イメージ）

個人データの扱いに関する原則

適法、公正、透明性
目的の限定
データの最小化
正確性
保存制限
完全性、機密性
} 説明責任

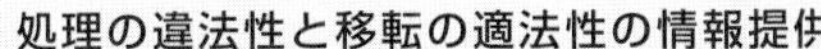

個人の主な権利 → 事前の同意 → **法人の主な義務**

通知される権利
アクセスの権利
忘れられる権利
訂正する権利
処理制限の権利
データポータビリティの権利
異議申し立ての権利
自動的なプロファイリングだけに基づく個人への判断を拒絶する権利

原則に則った手段による処理とその通知
・事前同意
・目的外データを収集しない
処理の安全性の確保
違反時には72時間以内にデータ主体と監督機関へ通知
データ保護責任者（Data Protection Officer）または代理人の任命

主要な機能

データ主体とデータ提供先の相互信頼担保には、どんな機能が必要でしょうか。

PDSの基本機能としては、アカウント登録とデータを蓄積する場（データストア）が求められます。とくに行政サービス提供やスコアリングといった利用シーンでは、ユーザーが本人であることの認証が重要です。治療・投薬やその結果、あるいは学習・試験結果といったデータが活用されるためには、ユーザー1人ひとりを間違いなく特定するデジタルID＊の管理機能が不可欠です。

VRM機能としては、データ提供先の選択や編集をいつでも簡単に行える必要があります。個人ユーザーは、データ提供の対価としてサービスやポイントなどを活用できます。また、企業などのデータ提供先だけでなく、本人が自ら過去の行動履歴やその結果（体重、成績の変化など）を分析したり、家族や友人などと私的に共有したりといったデータ活用方法も考えられます。

データ提供者である企業などとの外部連携機能としては、データとサービスの仲介や利用条件に応じた仮名（かめい）化／匿名化といった処理＊、また複数サー

＊**デジタルID**：4-5参照。
＊**…といった処理**：処理技術の例は9-3を参照。

ビスのIDを一元管理する機能も必要でしょう。これら様々なデータ処理のログが管理されています。

個人に対しては、第5章で説明する情報銀行の認定基準に準じたレベルで、本人の同意取得と自身の意思に基づくデータ利用許諾相手や利用目的、利用期間の更新が用意に行える機能とユーザーインターフェイスが必要です。

主要なPDS機能の例

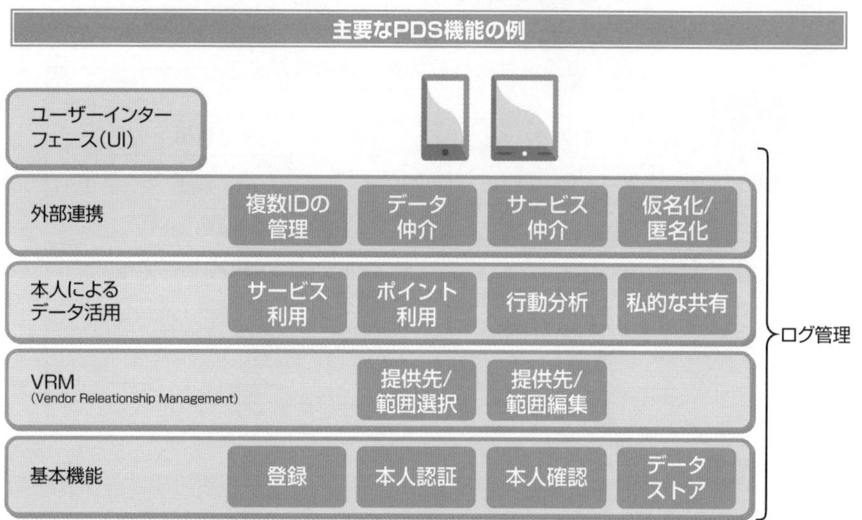

4-4 PDSの種類

PDSは5章でとりあげる情報銀行などで活用されていく見込みです。データの保管場所や管理方法、活用者など、いくつかの視点から、その種類を見ていきましょう。

分散型PDSと集中型PDS

PDSは特定のシステムではなく概念ですが、大きく分散型（Decentralized PDS）と集中型（Centralized PDS）に分類できます。お金に例えると、分散型は自分ひとりで記録する家計簿、集中型は銀行という大きなシステムの一部が口座という個人用スペースとして割り当てられる預金通帳に近い概念です。運用委託先が情報銀行です。

データが個々人の保有デバイスで蓄積・管理される分散型PDSは、スマホアプリなどで自らのライフログを蓄積します。PDS提供事業者が複数ユーザーのデータをまとめて蓄積・管理するのが集中型PDSです。4-3でとりあげた欧州データ保護監督官（EDPS）の保護原則では、集中型PDS（PIMS）のうち1つの場所にすべてのパーソナルデータが保管されるタイプと、複数のサービスプロバイダーに保管されたパーソナルデータ間を物理リンクでつなぐタイプを想定しています。

第5章の情報銀行はもちろん、第3章でとりあげたData Transfer Projectや4-6、4-7でとりあげる活用事例など、PDS（PIMS）といえる仕組みは様々な形態が登場しています。

安全性はいうまでもなく、機械判読性やポータビリティといったデータ要件とトランザクションや頻度、またデータ蓄積・管理・活用に伴う容量と伝送といったコスト、処理精度などの経済合理性を鑑みながら、実装技術は今後も進化を続けるものとみられます。

分散型PDSと集中型PDS

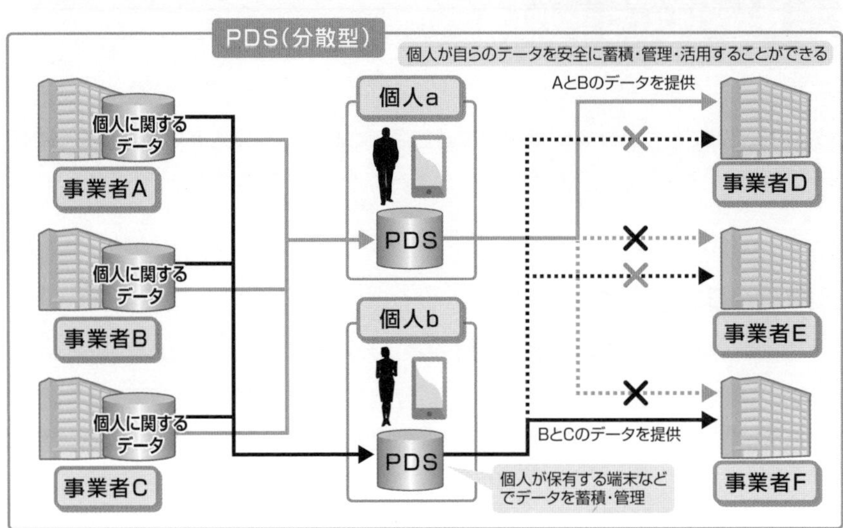

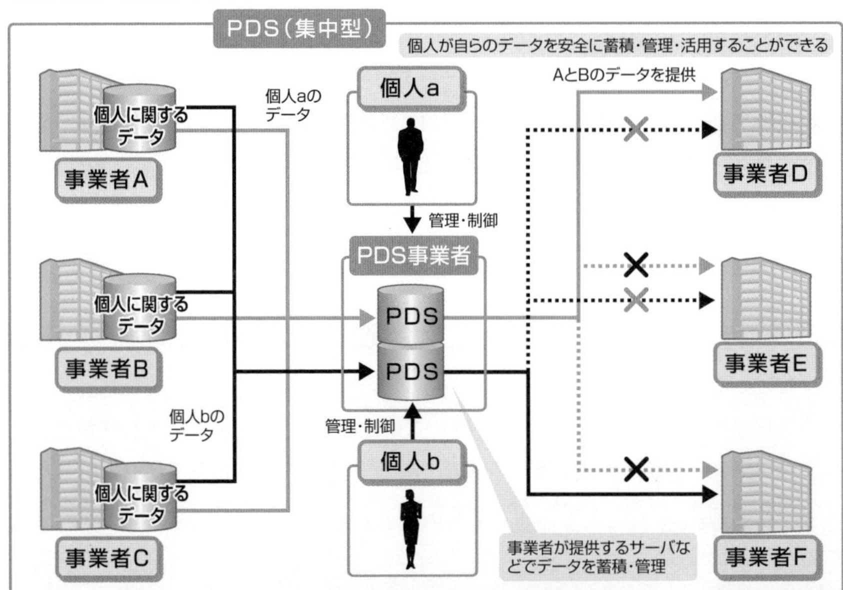

出典:「AI、IoT 時代におけるデータ活用ワーキンググループ中間とりまとめ(案)」(データ流通環境整備検討会、2017年2月)

PDSと情報銀行のイメージ

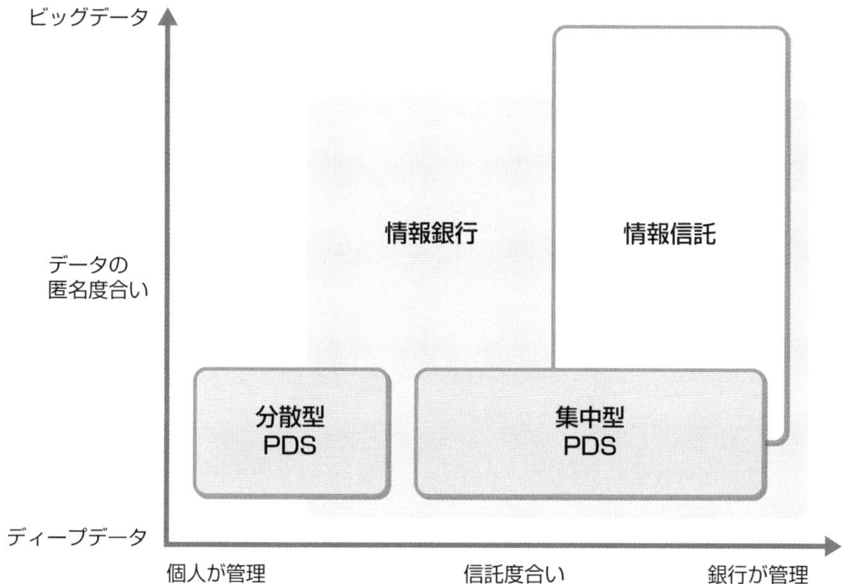

自ら分散型PDS「Personary」を開発し4-7でとりあげる「eポートフォリオ」をはじめ様々な実証研究に取り組む東京大学大学院情報理工学系研究科附属ソーシャルICR研究センターの橋田浩一教授は、PDSの必須要件をデータの保管、共有、利用権限の定義、安全性、トレーサビリティとした上で、これらが実現できる環境として、Dropboxなどの既存クラウドストレージを使った分散型PDSとDRM（Digital Rights Management）機能を組み合わせた端末主導型のリポジトリ「PLR（Personal Life Repository）」を推奨しています。分散管理によってデータを最小化することで、安全そして収益性の高い購買マッチングなどのサービス仲介の経済性が確保されるという考え方です。

分散型PDSは秘匿の意向が高い病歴などのデータを個人が直接治療に活用する場合などに、集中型PDSは大人数の疾病データの分析などに適していそうです。前者は大量漏洩のリスク、後者は個々人のリテラシー依存のリスクが高いかもしれません。型の優劣というよりは、両者のメリット／デメリットをふまえつつ、より優れたPDSの開発、実装が進んでいくための類型と考えていいでしょう。

PDSのユースケース例

現在は4-6や4-7でとりあげる事例をはじめ、マーケティングの高度化など企業によるデータ活用を中心にサービスや実証実験が進んでいますが、データ活用者が行政や市民団体などの社会参加者へ拡大すると、さらに医療費・介護費の抑制や行政サービスの品質向上が期待されます。例えば介護・育児や災害時の救出などを必要とする市民と市民団体、企業、行政がデータを共有できれば、社会貢献に応じたポイントや地域通貨などの還元が可能になり、協働や互助、地域活性化が進むことでしょう。

PDSの応用例

活用者	モデル	個人データ例	個人への還元例	活用者メリット
企業	・データ販売	・属性、嗜好 ・製品利用ログ	・ポイント、現金、製品、サービス	・製品·サービス開発 ・顧客関係強化
	・スコアリング	・運転、運動履歴	・保険や金利の優遇	・顧客別サービス設計
	・購買マッチング	・属性、嗜好	・最適な製品発見	・マーケティング効率
製薬会社、医療機関や自治体	・新薬開発や医療	・受販·診療·投薬履歴 ・ゲノム解析データ	・医療や生活の品質、費用対効果向上	・患者別の効果的な処方 ・投薬効果に基づく開発 ・医療費抑制
	・フレイル予防や介護	・受診·診療 ・投薬履歴 ・運動履歴 ・ケアプラン	・予防のためのサービス ・介護の品質向上	・フレイル予防 ・家族との連携強化 ・介護費抑制
企業、自治体、市民団体	・地域サービスプラットフォーム	・属性、居住地、自立度 ・位置情報 ・ボランティア登録	・育児·介護·家事などの支援 ・地域の見守り ・地域ポイントや通貨	・協働、互助推進による地域活性化 ・災害時などのトリアージ

4-5 PDSで取り扱うデータと情報の保護

PDSはプライバシーに関わるディープなパーソナルデータを取り扱います。想定されるデータとその保護のために求められるデータの要件を概観します。

PDSで取り扱うデータ

取り扱うパーソナルデータ*は、個人を識別できる属性（氏名、住所、電話番号、マイナンバー、顔写真など）や行動履歴、個人を識別できない属性（商品Aの購買履歴、特定地点の通過記録など）や行動履歴が想定されています。

PDSが扱うのは「個人情報を含むパーソナルデータ」。いうまでもなく、セキュリティとプライバシーの保護はPDSの必須要件ですが、P.118の図の①と②が、とくに配慮を求められるディープデータです。ただし、実際のユースケースでは、③や④のパーソナルデータも流通・取引の対象になると想定されます。

PDSを個人が直接データ活用者へ利用許諾する場合も、情報銀行などを通じて利用許諾する場合も、「本人同意に基づく提供」とみなされます。有効な本人同意を確保するため、PDSはパーソナルデータの第三者提供の条件などについてあらかじめわかりやすく明確に説明する必要があります。また、第三者提供の状況について定期的に本人に報告・対話するなど本人の意向の把握・確認・反映に努め、本人が希望する場合には第三者提供を停止するといった措置が求められます。

情報保護のためのデータ要件

こうしたデータを扱う以上、PDSにはGDPR*水準並みのアクセス権、訂正権、忘れられる権利、処理制限の権利、ポータビリティ、異議申し立ての権利の保証が求められます。そのためのデータ要件が「機械判読性」と「相互運用性」*です。「機械判読性」は人間が介在せず自動処理できる状態です。「相互運用性」はPDSや情報銀行、各サービスなどのシステム仕様に依存せず、かつ各システムがデータ設計を保持したまま、相互にデータの意味構造を理解し合える状態を指します。

＊**GDPR**：6-3を参照。
＊**「機械判読性」と「相互運用性」**：機械判読性、相互運用性については第3章を参照。
＊**パーソナルデータ**：3-4参照。

第3章で説明した通り、例えばPDS AからBへデータを持ち運べるために必要なデータの要件です。

デジタルIDと本人認証

デジタルIDは情報保護でも重要です。とくにライフログの正確性が前提の医療や教育履歴、信用スコアといった活用シーンでは、当該データの信頼性が不可欠です。本人であることの証明とログイン時の本人確認、データが正確であることを社会が合意するためには、インドで進むIndia Stackのように、政府による基本データの保証が望まれます。社会共通のデジタルIDはまた、物理的な場所の特定によるデータの不正利用（ある時点でいるはずのない場所での決済など）の防止にも役立ちます。

パーソナルデータの範囲

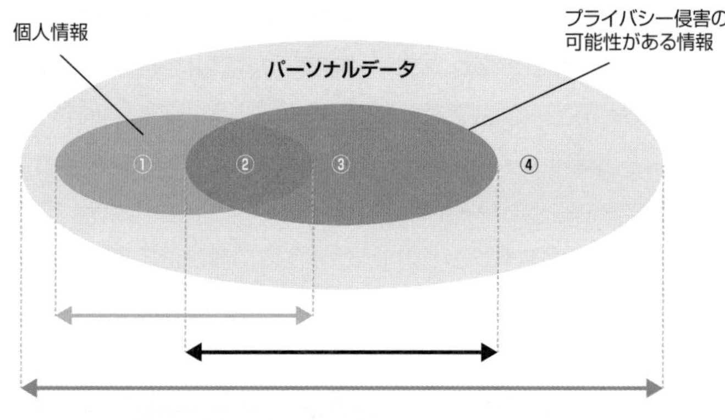

行政的規律への違反のリスクを伴う範囲
個人のプライバシー侵害社会的反発・炎上のリスクを伴う範囲
情報セキュリティ事故のリスクを伴う範囲

①個人情報であるがプライバシー侵害の可能性が低い情報 ・合意の上交換した名刺 ・カーナビの地図帳 など	②個人情報でありプライバシー侵害の可能性がある情報 ・顔が判別できる映像 ・氏名に紐付く病歴 など	③個人を識別する情報でプライバシー侵害の可能性がある情報 ・無記名ICカードの乗降履歴 ・氏名なしGPSデータなど	④個人情報でもプライバシー侵害の可能性がある情報でもないパーソナルデータ ・人口統計 など

出典：「高度通信・放送研究開発委託研究におけるパーソナルデータの取扱いに関するマニュアル」（国立研究開発法人情報通信研究機構、2017年6月）

4-6

観光分野での実証結果

パーソナルデータの利活用は、Society 5.0が掲げるデータ駆動型社会の根幹です。このため、政府は企業や自治体、消費者と協力して様々な実証実験を行い、より良い仕組みやルールづくりを進めています。

京都まちぐるみコンシェルジュサービス

PDSの社会実装へ向けた実証実験の一例をご紹介します。

株式会社JTBと大日本印刷株式会社（DNP）は、2017年12月～2018年2月にDNPが提供するPDSと情報銀行プラットフォームを使った実証実験「京都まちぐるみコンシェルジュサービス実証」を実施しました。

京都まちぐるみコンシェルジュサービス実証の概要

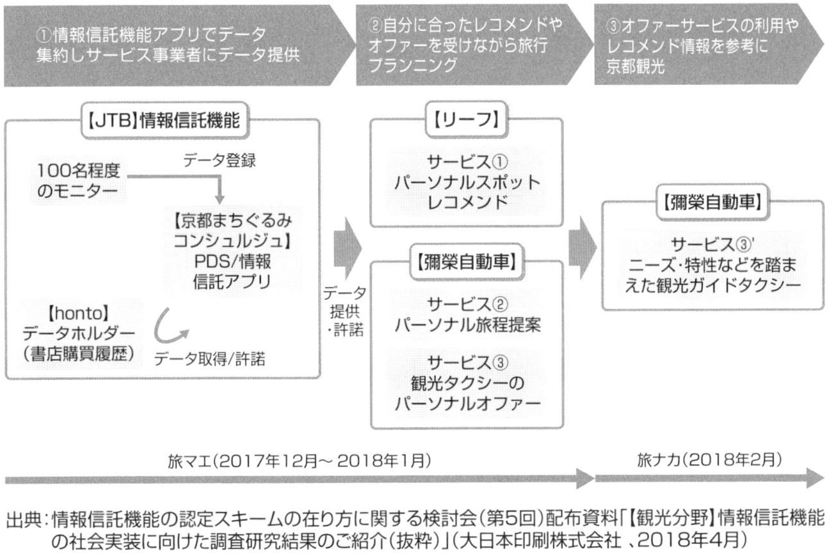

①情報信託機能アプリでデータ集約しサービス事業者にデータ提供
②自分に合ったレコメンドやオファーを受けながら旅行プランニング
③オファーサービスの利用やレコメンド情報を参考に京都観光

【JTB】情報信託機能
100名程度のモニター
データ登録
【京都まちぐるみコンシュルジュ】PDS/情報信託アプリ
【honto】データホルダー（書店購買履歴）
データ取得/許諾

データ提供・許諾

【リーフ】
サービス①
パーソナルスポットレコメンド

【彌榮自動車】
サービス②
パーソナル旅程提案
サービス③
観光タクシーのパーソナルオファー

【彌榮自動車】
サービス③'
ニーズ・特性などを踏まえた観光ガイドタクシー

旅マエ(2017年12月～2018年1月)
旅ナカ(2018年2月)

出典：情報信託機能の認定スキームの在り方に関する検討会(第5回)配布資料「【観光分野】情報信託機能の社会実装に向けた調査研究結果のご紹介(抜粋)」(大日本印刷株式会社 、2018年4月)

DNPの書籍ECサイト「honto」の100名程度の個人女性ユーザーに生年月日や居住地などの属性、「一人旅がしたい」などの旅ニーズ、書籍購入履歴などのパーソナルデータ提供に同意を得て、PDS／情報信託アプリ「京都まちぐるみコンシェルジュ」へデータを登録してもらいます。それらのデータが地場2社のデータ活用者へ提供されました。

ホテルや京都紹介メディアを運営する株式会社リーフ・パブリケーションズは、パーソナルデータと自社保有の京都観光情報や京都市オープンデータなどをかけ合わせ、参加者一人ひとりへ最適な観光情報をアプリから発信しました。タクシー会社・彌榮自動車株式会社は、リーフ・パブリケーションズの観光情報に加えて、最適な観光コースやその中の最適な区間でのタクシー利用を提案しました。

半数以上がPDS利用に前向き

実験の結果、旅行ユーザーの67.1%は旅行先での観光分野のサービス事業者へのパーソナルデータ提供と利活用を許容。日常生活における情報提供の許容度23.2%を大きく上回りました。属性や嗜好に応じたレコメンドの精度にもよりますが、観光は高度なパーソナルデータの流通･利活用に適した分野と考えられます。

行動情報の提供に対する許容度

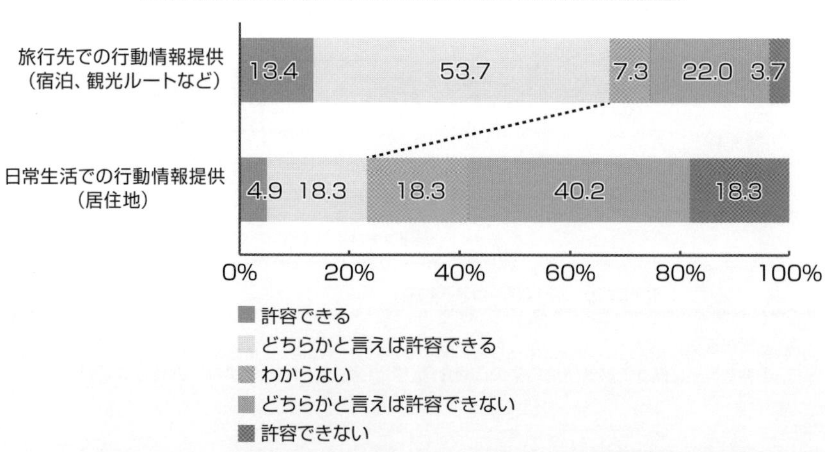

出典：情報信託機能の認定スキームの在り方に関する検討会（第5回）配布資料「【観光分野】情報信託機能の社会実装に向けた調査研究結果のご紹介（抜粋）」（大日本印刷株式会社 、2018年4月）

P.122図の通り、情報信託機能の利用意向は40%程度にとどまりましたが、PDS機能の利用意向は半数以上に上りました。とくに30～39歳は「利用したい」の積極的な回答が14.3%に上り、「利用したくない」は3.6%です。情報信託機能は自分では見つけられないサービスとの出会い（マッチング）が評価されたものの、信頼性や自己判断能力の低下、手続きの煩雑さに対する懸念があるようです。

「利用したくない」はとくに40～49歳で25.0%と高く、PDS機能の「利用したくない」12.5%の倍に上りました。

PDSは一度入力したデータが保持されている（ワンスオンリー）や、自分の意思でデータを管理できる点が評価されていますが、「集約はよいがどこでどのように利用されるかわからないと不安(提供先が明文化されるなら抵抗はない)」という意見もありました。

他方、実験結果からは、旅行関連情報を提供するサービス事業者は、提供情報の精度向上のため、個人ユーザーのリアルタイムなパーソナルデータを求めていることも確認されました。今後はサービス事業者間でのパーソナルデータの連動や循環も検討されています。

ユーザーアンケートでは、第三者に提供したパーソナルデータが意図しない形で流通しないよう管理する機能や、流通したパーソナルデータを追跡できるトレーサビリティ機能へのニーズも明らかになっています。サービス事業者にはパーソナルデータの提供に伴う損害やコスト負担、クレームなどの受付窓口など、各種データやサービス連携時の責任分担などを明確化するといった検討が求められそうです。

PDS機能／情報信託機能の利用意向

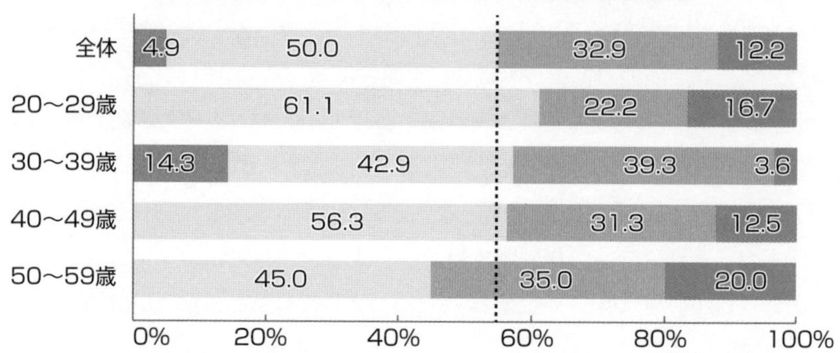

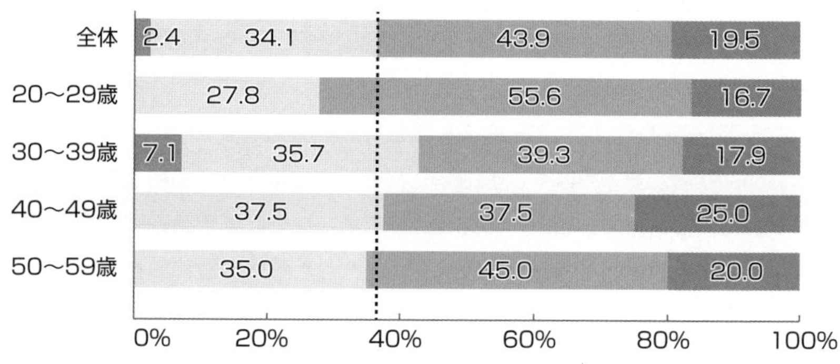

- 利用したい
- どちらかと言えば利用したい
- どちらかと言えば利用したくない
- 利用したくない

出典：情報信託機能の認定スキームの在り方に関する検討会（第5回）配布資料「【観光分野】情報信託機能の社会実装に向けた調査研究結果のご紹介（抜粋）」（大日本印刷株式会社 、2018年4月）

4-7 パーソナルデータの活用事例

現時点では前述のPersonaryやDNP、またトッパン・フォームズ、TIS、富士通などがPDSを提供しており、行政や地方公共団体との協働も含め、多様なサービスが展開されそうです。

IoT×ビッグデータ流通実証実験

一般社団法人データ流通推進協議会（DTA）と一般財団法人インターネット協会（IAJapan）は、2019年2～3月にデータ流通実証実験を実施しました。DTAが定義するデータ取引市場の参加者*、すなわちデータ生成者、データ取引市場運営事業者、データ流通支援事業者、データ購入者、データ提供先の役割ごとに実在企業が参加したものです。IoTデバイスを通じたデータの生成、収集、データストアへの保管とタグ付け、提供者・提供先間のデータ収受、決済までのデータ流通の実証実験システムを実運用し、データ取引ユースケース確立へ向けた具体的な成果と課題を確認しました。

行政ビッグパーソナルデータ

パーソナルデータ活用の対象は、自治体が保有する住民基本台帳や健診データ、レセプト等々の個人情報への拡大が計画されています。2019年度には、つくば市と筑波大学などが協力した実証実験で市民や学生、オープンデータ関係者などが集い、つくば市が提供し非識別加工を加えた病歴などの市民ディープデータを活用した社会課題解決アイディアソンとハッカソンを開催しています。

4-2で触れた通り、地方公共団体などが業務上取得し処理する個人情報は、行政機関個人情報保護法に準じた各地方公共団体ごとの個人情報保護条例の対象で、地方公共団体などがそのまま一般企業に提供することはできません。ただし2015年の法改正で定義された非識別加工情報の制度とルールを活用することによって、一定の条件下であれば、自治体や企業などが本人同意などを必要とする

* **参加者**：データ取引市場参加者の定義は第7章を参照。

ことなく柔軟に活用できるようにする動きです。

非識別加工の技術や運用の要件は、これら実証実験の結果などをふまえた議論が進んでいますが、詳細なルールはまだ確立していません。データが作成された目的（行政サービスなど）と利用目的（企業のマーケティングなど）が異なるため、検索のキーをどう持つか、コード体系を誰がどう適切に運用していくかなどの議論が待たれます。いずれにせよ個別自治体による安全なデータ加工は現実的ではないため、データ作成機関が総合的に担う方向で検討が進んでいます。

なお、各府省庁、独立行政法人、国立大学法人、特殊法人には、個人情報保護条例ではなく、非識別加工情報に関する法改正が済んでいる「行政機関個人情報保護法」・「独立行政法人等個人情報保護法」が適用されます。このため、自治体に先行してすでに非識別加工情報の提供*が開始され、事業者などの提案を受け付けています。行政パーソナルデータは新規基本料金21,000円（契約済みの場合12,600円）とデータ作成費用1時間あたり3,950円の使いやすい利用料金が「行政機関の保有する個人情報の保護に関する法律施行令」で定められていて、パーソナルデータ活用に弾みがつくかもしれません。

非識別加工情報のイメージ

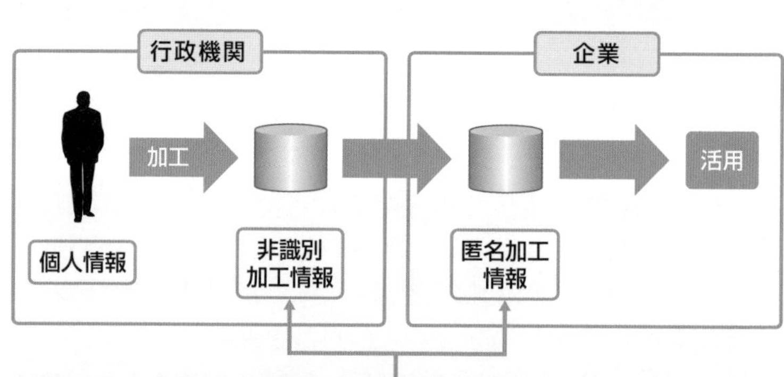
行政機関
企業
加工
活用
個人情報
非識別
加工情報
匿名加工
情報
取り扱う機関に適用される法律によって用語が違うが、定義上は同じものを指す。行政機関によって作成された「非識別加工情報」は、民間事業者においては「匿名加工情報」として取り扱うこととなる。

＊**非識別加工情報の提供**：個人情報保護委員会「非識別加工情報」サイトで毎年30日以上の提案募集が行われる。
https://www.ppc.go.jp/personalinfo/HishikibetsukakouInfo/

eポートフォリオ

高大接続改革*の一環として導入される「eポートフォリオ」は、高校生が3年間の課外活動の過程、成果を記録し、主体的な学習や振り返りに活用する一種のPDSと考えられます。今後大学への出願の際に提出することになる予定で、主体性や大学との合致度といったペーパーテストだけではわからない受験生のパーソナルデータに基づくマッチングの精度向上や大学教育における活用などが期待されます。eポートフォリオを運営するには、「『JAPAN e-Portfolio』運営許可要件」を満たし「大学入学者選抜における多面的な評価の在り方に関する協力者会議」の審査を通る必要があります。

4-4でとりあげた分散型PDS「PLR（Personal Life Repository）」を用いたeポートフォリオなどが参加を検討しています。2018年から埼玉県教育局、東京大学、理化学研究所が共同で実証研究を進めており、2020年度には県立高校生12万人が利用し、大学入試で使われる調査書の作成にも活用される予定です。

PLRを用いたeポートフォリオは、生徒が自らデータを入力するだけでなく、教員が校務システムなど、そのデータを活用したり、学生による閲覧や編集を制御できるデータを管理できるしくみです。「大学入学者選抜における多面的な評価の在り方に関する協力者会議*」などで議論されている、データの真正性を担保できるPDSとして期待されます。PLRは、高大接続eポートフォリオだけでなく、東京大学の学生や教員用の時間割アプリのために活用する計画も進んでいます。

文部科学省は、2022年度入試をめどに、高校教師が記入し大学入試の際多くは郵送で提出される「調査書」を電子化する方針です。データ連携によりeポートフォリオで蓄積される学習・活動記録と電子調査書を一体的に管理運用するシステムも検討されています。

＊**高大接続改革**：新たな価値を創造していく力の教育を目指し、高等学校教育、大学教育、大学入学者選抜を通じて学力の3要素（「知識・技能」「思考力・判断力・表現力」「主体性を持って多様な人々と協働して学ぶ態度」）を確実に育成・評価する、三者の一体的な改革。https://www.mext.go.jp/a_menu/koutou/koudai/index.htm

＊**…協力者会議**：https://www.mext.go.jp/b_menu/shingi/ chousa/koutou/106/index.htm

PLRを用いたeポートフォリオ

生徒本人主導のeポートフォリオ

- ●2020年度からの新制度の大学入試で運用されるeポートフォリオ（電子学習記録）をPLRで実装
- ●データポータビリティとセキュリティを確保
- ●データ活用の促進によるEdTechなどの振興
- ●埼玉県教育局が2020年度から実運用…高校生12万人

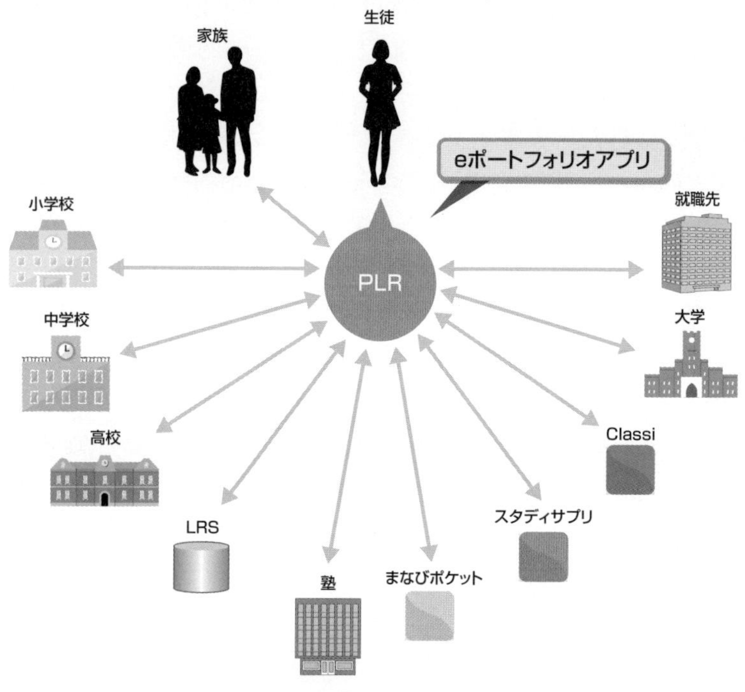

出典：東京大学大学院情報理工学研究科ソーシャルICT研究センター・橋田浩一教授「MyDataとPLR」
https://www.assemblogue.com/apps/PLRintro.pdf

PDSと謳っていませんが、銀行やクレジットカード、ECサイト、証券など2,660以上の金融関連サービスから入出金履歴や残高を取得し、自動で家計簿を作成するマネーフォワードの「Money Forward ME」や、歩数と購入履歴のデータ提供に応じた自販機ポイントアプリ「Coke ON」なども、パーソナルデータの活用例といえます。

第5章

情報銀行

これまで、個人に関するデータは風評リスクなどがあり、企業や業界を超えた流通がされず、単一事業者でデータを囲い込んでいる状況でした。しかし、私達は単一の事業者が提供するサービスのみを利用して生活することはなく、個人に関するデータは様々な事業者が断片的に保有している状況です。これらデータを本人同意のもとで流通させて、新たな便益を個人に還元することを期待されているのが情報銀行です。本章では情報銀行の検討経緯や仕組み、認定制度などについて紹介します。

5-1 情報銀行とは

米国におけるGAFA（Google、Apple、Facebook、Amazon）など巨大IT企業の対抗軸として注目を浴びている「情報銀行（通称）」について、検討経緯や今後の方向性を説明します。

情報銀行の検討経緯

IoT機器の普及などにより多種多様かつ大量なデータが収集・保有され、AIの進化などによりこれらデータを分析・活用することが可能となり、データの利活用によるビジネスの進展が期待されています。他方、消費者個人には、自らのデータを把握・制御できない不安や便益が実感できない恐れがあることに対する不満や不公平感が課題としてあります。これら状況を踏まえ、政府による様々な取り組みが進められています。

2016年12月14日に公布施行された官民データ活用推進基本法*（平成 28 年法律第 103 号）第 12 条に、「国は、個人に関する官民データの円滑な流通を促進するため、事業者の競争上の地位その他正当な利益の保護に配慮しつつ、多様な主体が個人に関する官民データを当該個人の関与の下で適正に活用することができるようにするための基盤の整備その他の必要な措置を講ずるものとする。」が規定され、データの適正かつ効果的な活用に向けた機運が高まりました。

また、データ流通・活用に向けた課題や環境整備に関する検討を行うため、2016 年9 月から内閣官房情報通信技術（IT）総合戦略室（以下、内閣官房IT総合戦略室）が「AI、IoT 時代におけるデータ活用ワーキンググループ」を開催し、PDSや情報銀行、データ取引市場の定義やユースケースの検討を踏まえた提言、政府の取り組みを盛り込んだ「中間とりまとめ」を2017 年3 月に公表しています。

その後、2017年7月に総務省情報通信審議会がとりまとめた「IoT ／ビッグデータ時代に向けた新たな情報通信政策の在り方」第四次中間答申では、情報銀行について、「一定の要件を満たした者を社会的に認知するため、民間の団体等による

＊**官民データ活用推進基本法**：6-2を参照。

ルールの下、任意の認定制度が実施されることが望ましい」とされています。

これら議論を踏まえ、ユーザーが安心して情報信託機能を活用することができるよう、総務省・経済産業省が「情報信託機能の認定スキームの在り方に関する検討会」(2017年11月～2020年7月)を主催して、情報信託機能を担う者に求められる要件や認定の運用スキームなど認定制度の在り方について検討が行われました。そして、情報信託機能の認定に係る指針(Ver1.0：2018年6月、Ver2.0：2019年10月)が公表され、2018年12月より一般社団法人日本IT団体連盟(以下、IT連盟)が認定申請の受付を開始しています。

情報銀行の定義

内閣官房IT総合戦略室のデータ流通・活用ワーキンググループにて、以下の通り定義されています。また、情報銀行の事業イメージは次ページの図の通りとなっており、個人からの預託を受けて情報を預かり、妥当性を判断の上で業界や事業者にデータを提供し、個人に便益を還元します(P.130図参照)。

<情報銀行の定義>
個人とのデータ活用に関する契約等に基づき、PDS等のシステムを活用して個人のデータを管理するとともに、個人の指示又は予め指定した条件に基づき個人に代わり妥当性を判断の上(または、提供の可否について個別に個人の確認を得る場合もある。)、データを第三者(他の事業者)に提供する事業(データの提供・活用に関する便益は、データ活用者から直接的または間接的に本人に還元される)

なお、今後、企業の創意工夫や利用者利便の向上などにより、PDS、情報銀行をめぐるさまざまなビジネスモデルが登場することが予想されますが、これらについて定義を厳格に適用して、例えば当該サービスが情報銀行に該当するか否かを論ずる実益には乏しく、定義の主旨である個人のコントローラビリティの観点から、柔軟に解釈がなされるべきものであるとされています。

情報銀行の事業イメージ

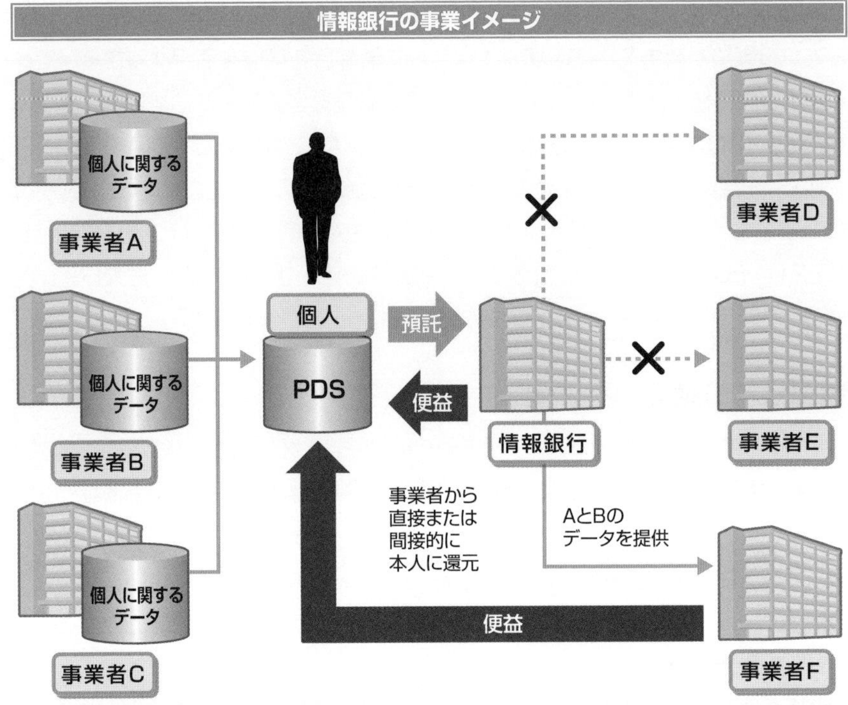

出典：「AI、IoT時代におけるデータ活用ワーキンググループ中間とりまとめの概要」（内閣官房IT総合戦略室、2017年3月）

情報銀行の今後

内閣官房IT総合戦略室が主催した「第6回官民データ活用推進基本計画実行委員会データ流通・活用ワーキンググループ（2019年3月4日）」で公表された「我が国におけるデータ活用に関する意識調査」によると、情報銀行の認知度は2割程度となっており、認知度に課題が残るものの、具体的な個人データ活用サービス（医療、交通、プロモーションなど）提示後の利用意向は4割程度となっており、パーソナルデータ利用サービスの受容性が低いわけではないため、プライバシー保護等に留意した事業展開が必要となります。

すでに株式会社三井住友銀行、株式会社JTB・大日本印刷株式会社などが医療、旅行領域における情報銀行に関する実証実験*を実施するとともに、三菱UFJ信託銀行株式会社が本人同意のもとで個人情報を第三者提供し、インセンティブを

＊**実証実験**：5-8参照。

得られるアプリケーションのリリースを予定しているなど、情報銀行を営む事業者が増えてくることが予見されます。

今後も多種多様な業種から様々な領域の情報銀行が設立することが見込まれており、まずは分野ごとにいくつかの情報銀行が設立され、それらが収斂されていくような形で1つ、または少数の情報銀行が個人からのデータを集めて、業界横断的にデータを流通させていくことが考えられています（下図参照）。

情報銀行の今後（イメージ）

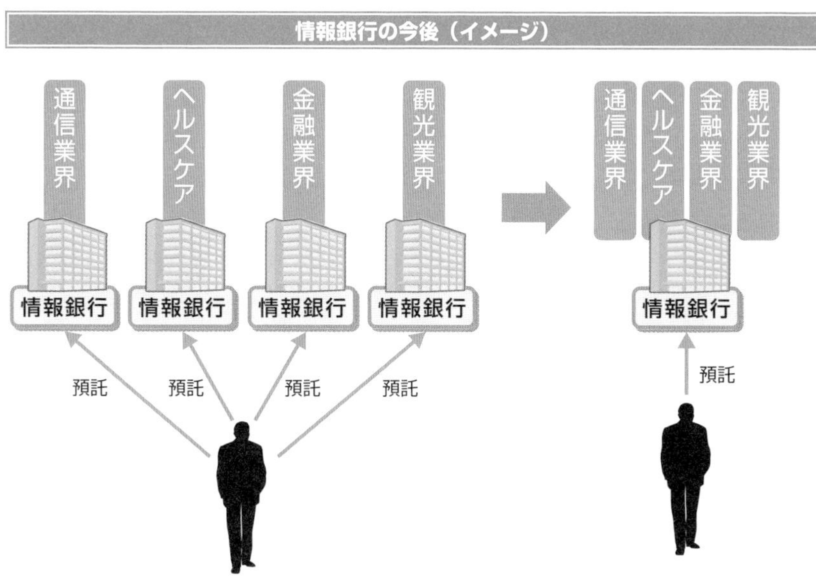

出典：データ流通環境整備検討会 AI、IoT時代におけるデータ活用ワーキンググループ（第1回）資料4「AI、IoT時代におけるデータ活用に向けた検討内容について（案）」（内閣官房情報通信技術（IT）総合戦略室、2016年9月30日）

5-2 情報銀行の仕組み

本人同意のもとで、個人のデータを管理・第三者提供する情報銀行の仕組みについて説明します。

個人情報保護法との関係

情報銀行と個人情報保護法との関係は以下の通り整理されています。

「情報銀行についても、自らの指示又は予め指定した条件（例えば、第三者におけるデータの活用目的・公益性、本人又は　社会に還元される便益、情報の機微性などを勘案したもの）の範囲で情報銀行が個別の第三者提供を行うことに本人が同意している場合には、本人同意に基づく第三者提供と整理することができる。」（「データ流通環境整備検討会・AI、IoT時代におけるデータ活用ワーキンググループ中間とりまとめ」2017年3月より）

なお、PDS及び情報銀行は、第三者提供に係る有効な本人同意を確保する観点から、パーソナルデータの第三者提供の条件などについてあらかじめわかりやすく明確に説明するほか、第三者提供の状況について定期的に本人に報告・対話するなど本人の意向の把握・確認・反映に努め、本人が希望する場合には第三者提供を停止するといった措置を講ずることが望ましいとされています。

ビジネスモデル例

情報銀行のビジネスモデルをイメージアップするため、金融・フィンテック分野で想定されるユースケースについて紹介します（P.133図参照）。

各データホルダーに分散する資産情報やIoT機器から得られる決済情報などを本人同意のもとで情報銀行に集約することで、複数金融機関に分散した資産情報が一括管理可能となります。さらに家族構成情報などを併せて流通させることで、多様な金融機関から個人のニーズに合わせた資産運用や各種サービスの提案を受けることが可能となります。

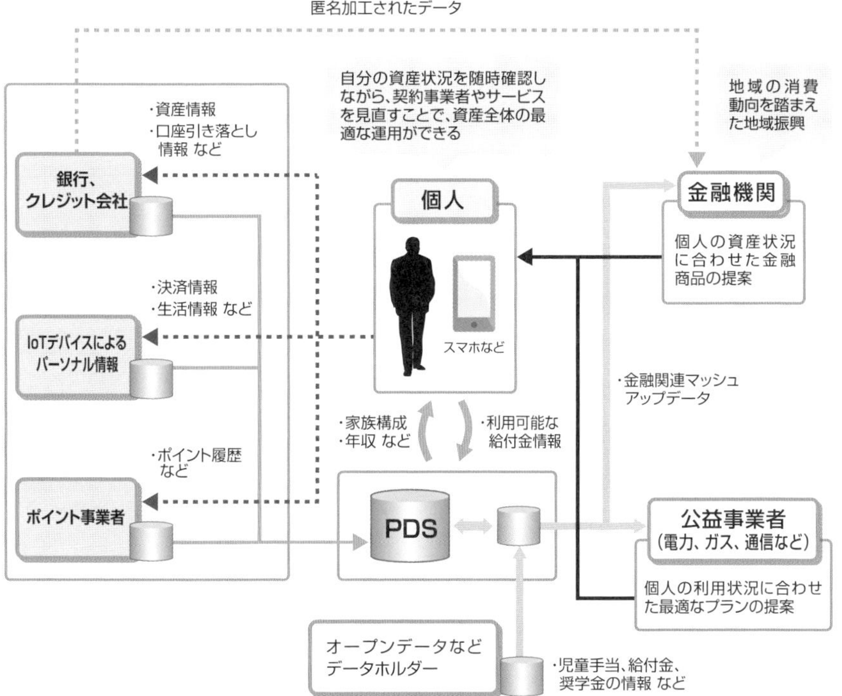

出典：データ流通環境整備検討会「AI、IoT時代におけるデータ活用ワーキンググループ 中間とりまとめ」（データ流通環境整備検討会 AI、IoT 時代におけるデータ活用ワーキンググループ、2017年3月）

信用スコアリング事業

本人同意のもとで収集したデータを第三者提供する事業の1つに信用スコアリング事業があります。

以前から与信審査に利用されている年齢、所得などに加え、普段の生活や人生経験、性格、家族構成、資格、語学力などを加味して信用スコアリングを行い、現時点では主に金融機関の貸し出し対象者を拡大するために利用されています。今後は、カーリースなどのシェアリングエコノミーサービスやヘルスケア領域などでの活用が見込まれています。

5-3 情報銀行認定事業の概要

情報銀行認定事業の検討経緯や実施団体・体制について説明します。

情報銀行認定事業の経緯

5-1で紹介した通り、総務省・経済産業省主催で「情報信託機能の認定スキームの在り方に関する検討会」（2017年11月～2020年7月）が開催され、情報信託機能の認定に係る指針（Ver1.0：2018年6月、Ver2.0：2019年10月）が公表されています。当該検討会は大学、民間企業、法律事務所などより構成員が選定され、一般社団法人日本IT団体連盟（以下、IT連盟）が事務局を担っていました。

2018年9月にIT連盟がパーソナルデータの円滑な流通と活発な利活用、そして個人が便益を享受できるようにするために情報銀行の認定事業開始を公表し、2018年10月に情報銀行認定に関する説明会が開催されています。その後、『「情報銀行」認定申請ガイドブック(ver1.0：2018年12月、ver2.0：2020年7月)』が公表され、情報銀行認定に関する申請受付が開始されました。

情報銀行認定団体

情報銀行認定を行うのは日本最大級のIT業界団体であるIT連盟の情報銀行推進委員会です（2020年7月時点）。情報銀行推進委員会には情報銀行認定分科会と普及促進分科会があり、行政のオブザーバーを含め、運営を行っています（P.135図参照）。

具体的には、情報銀行認定分科会は、消費者が安心してパーソナルデータの情報信託を行うことができるよう、総務省ならびに経済産業省のもとで検討された指針をもとに、民間団体としてルールを定め、いわゆる「情報銀行」の事業者を認定します。

また、普及促進分科会は、「情報銀行」による安心安全な環境でデータ流通/データ活用がなされることが、生活者、事業者の価値につながり、社会のよりよき変革に寄与することを目指す、「三方よし」の普及促進活動を推進しています。

日本IT団体連盟・情報銀行推進委員会の体制

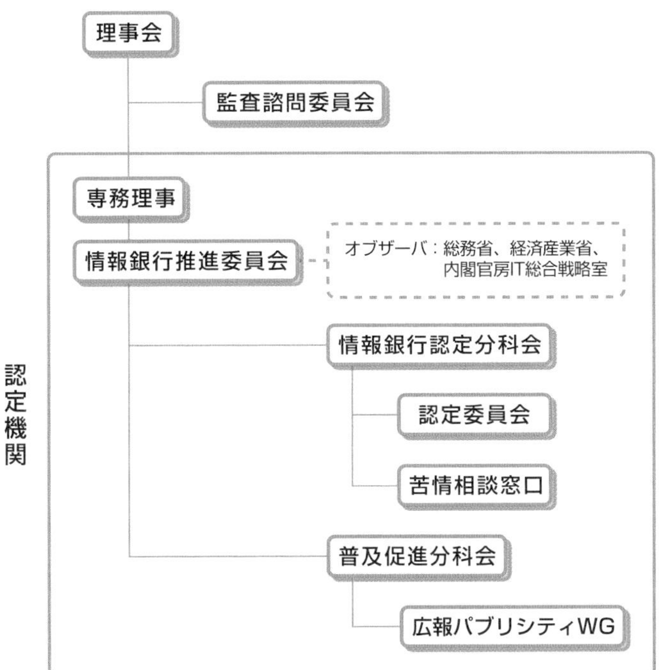

出典:『「情報銀行」認定申請ガイドブック ver2.0』(一般社団法人日本IT団体連盟 情報銀行推進委員会、2020年7月1日)

5-4 情報銀行認定制度の概要

一般社団法人日本IT団体連盟（以下、IT連盟）が実施している情報銀行の認定制度について概要を説明していきます。

情報銀行認定制度

IT連盟による情報銀行の認定制度は、以下の2つに適合していることを審査するものです。

1. 総務省・経済産業省主催の検討会で制定した情報信託機能の認定に係る指針（①認定基準、②モデル約款の記載事項、③認定スキームから構成され、認定団体は、本指針に基づき、認定制度を構築・運用する）
2. 上記指針を踏まえて日本IT団体連盟が策定した情報セキュリティ対策やプライバシー保護対策等に関する認定基準(「情報銀行」認定申請ガイドブック(含む、別添：モデル契約約款))

これら指針・認定基準は個人情報保護法の趣旨を踏まえ、また、本人の関与という要素を十分に取り込んだものとなっており、一定の水準を満たす「情報銀行」を認定するために策定されました。そのため、当該認定を受けた情報銀行事業者およびサービスは安心・安全な情報銀行として、消費者がその個人情報を信頼して託せられる情報銀行であることをアピールすることが可能となります（P.137表参照）。

なお、日本IT団体連盟における認定は任意のものであり、情報銀行に関する事業を行うために必須のものではありません。

情報銀行認定制度の概要

No	概要
1	認定基準は、総務省・経済産業省主催の「情報信託機能の認定スキームの在り方に関する検討会」にて制定した「情報信託機能の認定に係る指針」に準拠している。
2	申請には、プライバシーマークまたはISMS認証(これらがない場合は、FISCなどの第三者監査による同等の認証)が必須となる。
3	書類による審査が原則。ただし、プライバシーマークまたはISMS認証が未取得であったり、データセンターの第三者監査などによる安全性が確認できない場合には、現地審査を実施する。
4	事業者(法人)、サービス(事業)のいずれも認定の対象とする。
5	認定の種類として『通常認定』と『P認定』の2つがある。 ・通常認定: 「情報銀行」サービス実施中の事業を対象に、計画、運営・実行体制が認定基準に適合し、かつ見直しを継続して行うことで、安心・安全なサービスを提供しているサービスであることを認定するもの。 ・P認定: 「情報銀行」サービス開始前であっても、計画、運営・実行体制が認定基準に適合しているサービスであることを認定するもの。サービス開始後に、運営・実行、改善を行い、『通常認定』の取得が条件となる(P認定の更新は不可)。
6	認定を受ける事業者と日本IT団体連盟との間で契約を締結し、認定証および認定マークを交付する。
7	消費者が認定を受けた事業者およびサービスを確認できるように、また認定マークの不正利用の防止のため、認定された事業者およびサービスを、日本IT団体連盟のホームページなどで公開する。
8	認定にかかる費用/本申請から認定までの期間 ・審査料:70万円～/件 ※プライバシーマークまたはISMS認証取得などの有無、現地審査の有無などによって変動。 ・認定料:50万円/件・2年間有効 ・期間:4か月程度 ※現地審査の有無、質疑応答、申請受付の過多などにより変動する(事前申請受付後、認定事務局からおおよその期間を提示する)。
9	認定基準(「『情報銀行』認定申請ガイドブック」、「モデル契約・約款」)がバージョンアップした際には、併用・移行期間を設けて新たな認定基準の対応を実施する。

日本IT団体連盟 情報銀行推進委員会HPを参考に作成(2020年5月10日)

5-5 情報銀行認定の申請から認定までのフロー

一般社団法人日本IT団体連盟（以下、IT連盟）が実施している情報銀行の認定を取得するために、申請から認定取得まで必要となる手続きについて紹介します。

審査・認定に関する基本的な方針

IT連盟における情報銀行認定に関する審査・認定の基本的な方針は以下の通りとなっています。

＜基本的な方針＞

- 申請者の利害関係者は、当該審査・認定業務には関わらない
- 事業者（法人）、サービス（事業）いずれも認定
- 書類による審査が原則
- 認定事業者とIT連盟との間で契約を締結、認定証・認定マークを交付（適合性評価、2年ごとの更新）
- 認定された事業者およびサービスを、IT連盟のホームページなどで公開

認定フロー

申請事業者の申請から情報銀行認定委員会が認定するまでのフローは右図の通りです。

◆事前申請

申請業者が事前申請を情報銀行認定委員会の事務局に対して行い、事務局が本申請へ進む上での基本事項の確認を行い、審査計画書や審査料金を提示し、事業者が本申請の要否を検討する。

◆本申請～審査作業

申請事業者が事務局に対して本申請を行い、審査担当が書類審査作業（必要に応じて現地調査）を行い、審査報告書作成する。事務局が審査用報告資料を作成し、

認定会議を召集する。

◆認定会議

審査報告書を踏まえ、申請事業者も出席する認定会議を開催し、認定委員会が適合性評価、認定判定を実施する。その後、情報銀行推進委員会委員による判定会議を行い、認定判定が下される。

◆認定～契約

認定判定結果について、事務局を通じて申請業者に通知し、認定マーク付与契約の締結後、認定書を交付する。

情報銀行の認定スキーム

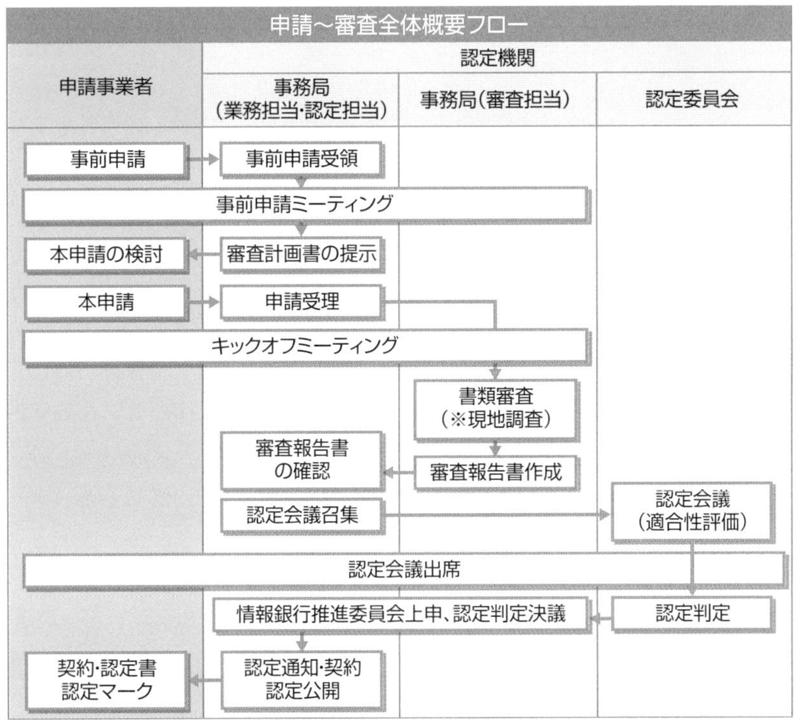

出典:『「情報銀行」認定申請ガイドブック ver2.0』（一般社団法人日本IT団体連盟 情報銀行推進委員会、2020年7月1日）

5-6 情報銀行認定の認定基準

一般社団法人日本IT団体連盟（以下、IT連盟）が実施している情報銀行認定の認定基準や申請事業者が提出する必要がある書類などについて説明します。

認定基準

「情報信託機能の認定に係る指針」では、認定基準について以下の通り規定し、①事業者の適格性、②情報セキュリティ・プライバシー保護対策、③ガバナンス体制、④事業内容に関する認定基準を示しています。

＜情報信託機能の認定に係る指針における認定基準＞

- 「認定基準」は、一定の水準を満たす「情報銀行」を民間団体等が認定するという仕組みのためのものであり、当該認定によって消費者が安心してサービスを利用するための判断基準を示すもの。レベル分けは想定しない。
- 提供する機能を消費者にわかりやすく開示するなど、消費者個人を起点としたデータの流通、消費者からの信頼性確保に主眼を置き、事業者の満たすべき一定の要件を整理。データの信頼性などビジネス上のサービス品質を担保するためのものではない。
- 今後事業化が進む分野であるため、サービスの具体的内容や手法（データフォーマットなど）はできるだけ限定しない。

これを踏まえ、IT連盟が『「情報銀行」認定申請ガイドブックver2.0』を作成し、具体的な認定基準及びその適格性を確認するために申請事業者が提出する必要のある書類を示しています（P.141表参照）。

提出書類の例

認定基準	適合性を確認するために必要な提出書類(例)
事業者の適格性	・事業者の登記簿謄本 ・財務内容の確認資料 ・損害保険証書 ・当該サービス事業の内容と範囲 ・プライバシーマークまたはISMS認証の取得証明などを示す書類
情報セキュリティなど	・JIS Q 27001「5.2方針」 ・JIS Q 27001「5.3組織の役割、責任及び権限」 ・JIS Q 27002「8.1.1資産目録」 ・JIS Q 27002「8.1.2資産の管理責任」 ・JIS Q 27002「A.9アクセス制御」などを示す書類
プライバシー保護対策など	・JIS Q15001「A.3.2.2外部向け個人情報保護方針」に対応する書類 ・JIS Q15001「A.3.3.4資源、役割、責任及び権限」 ・JIS Q15001「A.3.3.5内部規定」 ・JIS Q15001「A.3.3.6計画策定」 ・JIS X 9250「5.6利用、保持及び開示の制限」　などを示す書類
ガバナンス体制	・苦情相談窓口が示されているHPなどの表示内容・諮問体制などを示す書類
事業内容	・個人との契約関係 ・情報提供元との契約関係・情報提供先との契約関係 ・契約約款の公表状況などを示す書類

出典:『「情報銀行」認定申請ガイドブック ver2.0』(一般社団法人日本IT団体連盟 情報銀行推進委員会、2020年7月1日)

5-7 日本IT団体連盟から認定を受けて情報銀行に取り組む企業

一般社団法人日本IT団体連盟（以下、IT連盟）から認定を受けて情報銀行に情報銀行に取り組む企業・サービスについて紹介します。

認定状況

2020年5月時点では、IT連盟から合計5社（通常認定1社、P認定4社）が認定を受けています（P.142表参照）。

なお、P認定は、情報銀行サービスの運営計画が、サービス開始可能な状態を満たしていることを認定するものであるため、P認定の有効期限内（認定取得から2年以内）に具体的なサービス事業を行い、PDCA運営実施記録を整え、通常認定を取得することが前提となっています。

認定企業

認定区分▲※	サービス名	事業者名	認定日
通常認定	paspit	株式会社DataSign	2020年2月26日
P認定	地域型情報銀行サービス（仮称）	中部電力株式会社	2020年2月4日
P認定	情報提供サービス（仮称）	株式会社J.Score	2019年12月24日
P認定	地域振興プラットフォーム（仮称）	フェリカポケット マーケティング株式会社	2019年6月21日
P認定	「データ信託」サービス（仮称）	三井住友信託銀行株式会社	2019年6月21日

※認定区分の詳細は5-4の表「情報銀行認定制度の概要」参照

通常認定取得企業

通常認定を取得しているサービスとして、株式会社DataSignが提供するpaspit（パスピット）がありますので紹介していきます。

まず、利用者はスマートフォンなどからpaspitにアクセスし、性別、生年月日、職業などの個人情報を登録します。次にデータ活用企業は利用者に対してオファーを出します。そして、利用者が承諾すれば個人情報がデータ活用企業に提供され、各種サービスなどが提供される仕組みとなっています（P.143図参照）。

　また、株式会社DataSignは情報銀行に参入する企業に対し、paspitをベースにシステムのOEM提供を行っており、スカパーJSAT株式会社などが実施した実証に利用されています。

paspitの概要

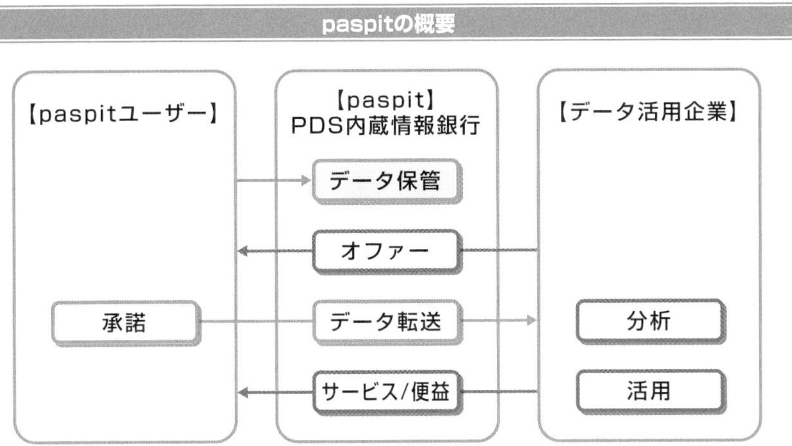

出典:日本IT団体連盟、初の通常認定となる「情報銀行」認定（第4弾）を決定（2020年3月1
日本IT団体連盟 情報銀行推進委員会ニュースリリース）

P認定取得企業

◆フェリカポケットマーケティング株式会社

　神奈川県と連携協定を締結し、スマートフォンアプリをベースとして、①情報銀行機能、②地域ポイント機能、③コミュニケーション機能の提供を予定しています。

　ユーザーはスマホアプリをダウンロードして個人の属性を登録し、未病改善、SDGs推進、共生社会実現のための活動（イベントなど）に参加して、ポイントをためることができます。また、情報利用者である民間事業者や自治体は情報銀行に情報照会することにより、属性に応じた販促情報やクーポン情報、行政情報を特定の属性のユーザーに配信できるようになります（P.144図参照）。

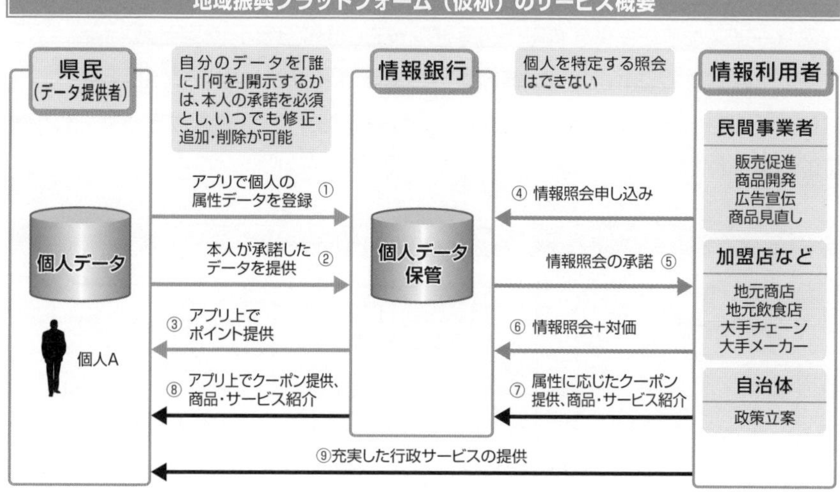

出典:神奈川県とフェリカポケットマーケティング株式会社は「データ利活用による社会課題の解決に関する連携協定」を締結しました!(2020年3月24日、神奈川県)

◆株式会社 J.Score

株式会社J.Scoreは株式会社みずほ銀行とソフトバンク株式会社が50%ずつ出資して立ち上げたFinTech企業です。2017年9月より本人が許諾した情報を先進的なAI技術で分析してスコア化し、国内初の融資サービス『AIスコア・レンディング』や、2018年10月よりアライアンス企業でさまざまなリワード(特典)が受けられる『AIスコア・リワード』を100万人以上に提供しています。これら既存サービスの顧客基盤を活用し、個人のライフスタイルの充実と成長を後押しし、それを応援する企業をサポートするため、情報銀行サービスを提供する予定です。

サービスの対象となるのは個人情報(氏名、年齢、所得、人生経験、家族構成など)を登録し、AIスコアを取得している個人となります。本人の意思により情報提供サービス(仮)にエントリーすると、データを活用したい企業から株式会社J.Scoreを通じてデータ提供の依頼があります。データ提供依頼に対して個人が許諾を出すことにより、株式会社J.Scoreに登録された個人データやAIスコアが企業に提供され、情報提供料や各種特典が個人に提供されるビジネスモデルとなっています(P.145図参照)。

情報提供サービス（仮称）のサービス概要

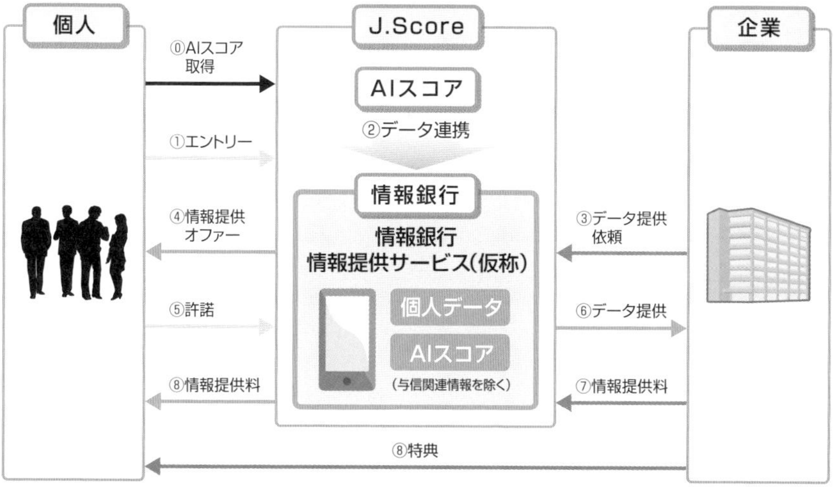

個人
J.Score
企業
⓪AIスコア取得
AIスコア
②データ連携
①エントリー
情報銀行
情報銀行
情報提供サービス(仮称)
④情報提供オファー
③データ提供依頼
⑤許諾
個人データ
⑥データ提供
AIスコア
(与信関連情報を除く)
⑧情報提供料
⑦情報提供料
⑧特典

出典:日本IT団体連盟、「情報銀行」認定(第2弾)を決定(2019年12月25日、日本IT団体連盟 情報銀行推進委員会ニュースリリース)

5-8 総務省の実証実験に参加した企業

総務省が行っている情報信託機能活用促進事業を受託し、実証実験に参加した企業について紹介します。

主な参加企業

金融機関や旅行業などの企業が情報銀行に関する実証実験に参加しています(下表参照)。

総務省の実証実験に参加した主な企業

企業名	取り組み概要	対象分野
株式会社日立製作所	個人のIoTデータなどを活用したライフサポート事業	IoT
株式会社JTB 大日本印刷株式会社	情報信託機能を活用した次世代型トラベルエージェントサービス	観光
中部電力株式会社 大日本印刷株式会社	地域型情報銀行(情報の地産地消による生活支援事業)	地域・IoT
株式会社三井住友銀行	情報信託機能を用いた個人起点での医療データ利活用実証事業	ヘルスケア
株式会社マイデータ・インテリジェンス	ヘルスケア型情報銀行のビジネスモデルの構築と普及促進	ヘルスケア

これら企業のうち、株式会社JTBは大日本印刷株式会社などと総務省の平成30年度予算情報信託機能活用促進事業を受託し、「情報信託機能を活用した次世代型トラベルエージェントサービス」を検討しています(P.147図参照)。

サービスの対象者は、東京・上野エリアまたは京都・岡崎／蹴上エリアへの旅行者としており、スケジュール、身元、パーソナリティ、行動ステータスなどを個人向けアプリに入力すると、当該データを株式会社JTBが集約し、個人の条件指定に基づいてパーソナルガイドや飲食店、ホテルなどに提供します。データを提供されたサービス事業者は、当該データを用いてエリア内の送客・単価向上などの効果を見込んでいます。

次世代型旅行エージェントサービスの概要

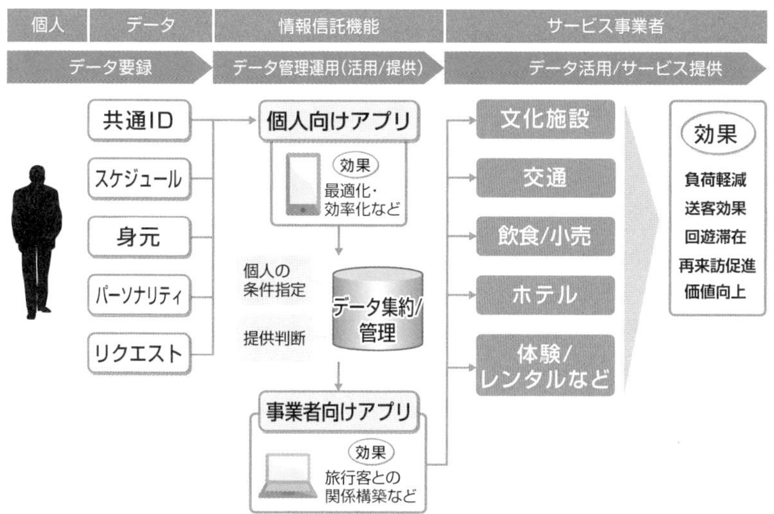

5-9 海外のパーソナルデータ活用の取り組み

海外ではどのようにパーソナルデータを活用し、便益を本人に還元しているのでしょうか。各国の事例を紹介します。

米国

米国ではエネルギー・水道データを管理するグリーンボタンと、医療・健康データを管理するブルーボタンのサービスが提供されています。

◆グリーンボタン

グリーンボタンとは、エネルギーなどの使用量や請求書のデータを共通のフォーマットで消費者に提供することを目指す取り組みであり、利用者はインフラサービス提供各社のサイトから自分のエネルギーや水道の使用量などのデータをダウンロードできるようになっています。

これにより、エネルギー使用の可視化や家庭内に設置されている機器の状況監視、省エネ取り組みの促進などの効果が見込まれています。連邦エネルギー省によれば、これまでに150を超える事業者がグリーンボタン·イニシアチブに参加し、6000万を超える世帯や企業がデータにアクセスして利用が可能となっています。

◆ブルーボタン

ブルーボタンとは、国民が自分の健康情報に容易にアクセスできるようにする官民協働の取り組みであり、1.5億人以上の個人がポータルサイトにアクセスし、自分の医療・健康記録にアクセス・ダウンロードできるようになっています。

当該サービスにより、利用者は自身の医療·健康に関するデータを医師や薬剤師、家族と共有することで、セカンドオピニオンを得ることや、開発者向けに提供されているAPIを活用したヘルスケアアプリなどで一元的に管理することなどが可能になっています。

ブルーボタンのイメージ

- 氏名、住所、連絡先
- 医療機関、かかりつけ医院と連絡先、病院名
- 加入している健康保険
- 過去の受診日
- 退役軍人病院の病歴
- 処方医薬品名
- 保険薬剤調剤データ
- OTC（一般用医薬品）
- アレルギー歴
- 医療処置
- 予防接種歴
- バイタルサイン、検査歴 など

Humetrix社HPより

フランス

通信会社や銀行、保険などが中心となり、企業や公的機関が保有する個人に関する情報のコントロール権を個人に戻し、より豊かな生活を実現することを目的とする「MesInfos」プロジェクトが、2012年からスタートしています。

2013年には300人超の実証実験が行われ、各種取引内容（小売店のレシート、位置情報、通話記録、銀行取引記録など）と属性（身元情報、家計データ、車両、契約／方針、所得など）に関する40種類のデータが流通され、複数の銀行口座の利用明細をアグリゲートするアプリや、利用者のカーボンフットプリントを算出して改善をアドバイスするアプリ、様々な製品の保証内容を比較してランキングを作るアプリなどが作成されました。

2016年から2018年には対象者を3000名に拡大して実証実験を行い、参画組織が保有する水の使用量や保険契約、通信の利用状況、エネルギー消費量などのデータについて個人が閲覧、第三者提供できるようになりました（P.150図参照）。

MesInfosの実証実験イメージ

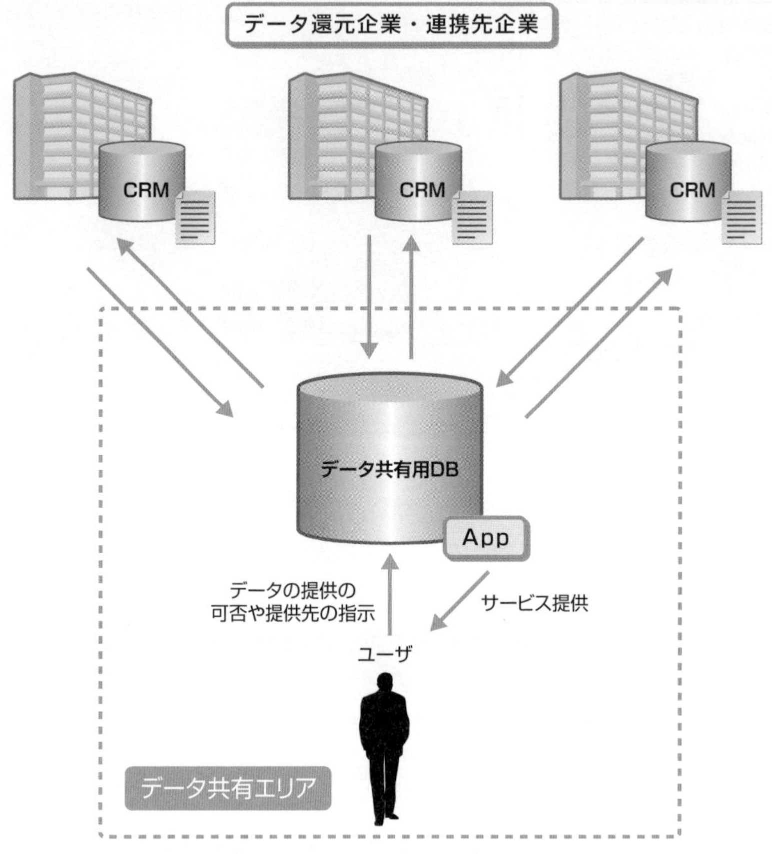

出典:データ連携基盤サブワーキンググループ(第3回)資料3「フランスの実証実験(MesInfos)について」(株式会社NTTデータ、2018年4月4日)

中国(芝麻信用)

芝麻信用はアリババグループでアリペイを提供しているアントフィナンシャルが、2015年よりアリペイの附帯機能として提供する信用スコアリングサービスです。

信用スコアは身元情報、支払い能力、クレジット履歴、お金に関する人間関係(本人に支払い能力がなくとも仕送りを受けているなど)、消費行為の傾向から350点から950点の範囲で算出されます。600点以上が高スコアとされ、各種シェアリングサービスのデポジットが不要になることに加え、アントフィナンシャルの金融商品の金利が優遇されることやシンガポール、ルクセンブルクのビザが取得しやすくなるなどのメリットがあります。

スコア利用企業としては、優良な顧客を引き寄せる仕組みとして活用できており、社会全体としては、シェアビジネスの拡大やマナー向上に貢献することが見込まれています。

芝麻信用表示画面

情報銀行の認定基準は変わる？

情報銀行を取り巻く環境は変化しており、各社の取り組み状況や総務省・経済産業省が主催する検討会などでの議論を踏まえ、情報銀行の認定基準は見直されています。

例えば、情報信託機能の認定に係る指針ver1.0では、クレジットカード番号、銀行口座番号、要配慮個人情報を認定の対象外データとしていました。しかしこのうちクレジットカード番号、銀行口座番号については、「情報銀行を利用する個人と提供先との間で費用や対価の支払いが発生する場合に、個人から情報銀行に委任する情報として第三者提供を行うニーズがある」との意見があったことから、情報信託機能の認定に係る指針ver.2.0では対象に追加されています。ただし、要配慮個人情報については、継続検討となっており、医療・健康分野及び教育分野について検討し、特に今後情報銀行の活用が期待される教育分野についてはニーズの具体化も踏まえて継続的に検討することとなりました。

今後も、パーソナルデータを含めた多種多様かつ大量のデータの円滑な流通を実現するため、社会の動向を踏まえて情報銀行の認定基準は見直されていく見込みです。パーソナルデータの流通、活用に関わる事業者などは、こうした動向を継続的に注視していく必要があります。

第6章

データ流通ビジネスに関連する法律・制度

データ流通ビジネスは、流通という名前が示す通り、複数のプレイヤーの連携が重要となります。プレイヤー同士が協力することで初めてデータの流通が活発になり、新しいビジネスやサービスが生まれるのです。そして、そのためには、プレイヤー間のルールが必要ですが、そのルール整備は、世界で今、始まったばかりなのです。

現在、日本では、国のIT戦略の1つの柱として、データ流通を活発にさせるための制度整備が進められています。そのポイントは、安心・安全な仕組みの構築と、データ流通を活発にする仕掛け作りにあります。この章では、このルール整備について、日本の法制度や政策的取り組みの面から説明します。

6-1 日本の制度の潮流1

2011年の世界経済フォーラムで、データはオイルと言われたのに対し、2019年の世界経済フォーラムでは日本自ら「Data Free Flow with Trust」というメッセージを打ち出しました。現在日本が積極的に推進しているデータ流通の取り組みについて、法制度と政府の計画面を中心に説明します。

官民データ活用推進基本法

日本で初めてIT戦略に関する法律が整備されたのは、2000年のIT基本法になります。そして、日本でデータ利活用関連において制定された最も重要な法案は、2016年12月に成立した「官民データ活用推進基本法」(平成28年法律第103号。以下、官民データ基本法)です。

この法律は、AIやIoTをはじめとした情報通信技術の進展を背景に、「官民双方が各々保有するデータをみんなで活用できる環境を整備することにより、国民一人ひとりが豊かさを真に実感できる社会モデルを構築していくことが必要である」との考え方がベースとなっています。まさにデータを官民で流通させて、活用していこうという考え方なのです。

官民データ基本法は、その名前の通り、「官」・国と各地方公共団体などに加え、「民」として事業者などにおいても自らが保有するデータを抱え込むのではなく、利活用して新たな技術やサービスの開発を促すとしています。特に事業者の保有するデータは事業者の競争上重要なデータも含まれていますが、それだけではなく、データを共有することで新たな付加価値を生むような協調領域のデータも含まれるとして、それらの共有を積極的に推進しているのです。

世界最先端デジタル国家創造宣言・官民データ活用推進基本計画

法律を定めたからといって、すぐにデータの流通や活用ができるわけではありません。そこで、官民データ活用推進基本計画が定められることになりました(官民データ基本法8条1項)。

基本計画は2017年から毎年作成されており、最新版は2020年7月に「世界最先端デジタル国家創造宣言・官民データ活用推進基本計画」として閣議決定されています。

基本方針とともに、具体的に推進していくための121の施策とそれぞれのスケジュール、KPIが整理されています。

これらの施策は1つの省庁に閉じずに複数の府省庁の連絡が必要となるケースも多々あります。そのため、全体を俯瞰しつつ横断的に進められるように、高度情報通信ネットワーク社会推進戦略本部の下に、内閣総理大臣を議長とする官民データ活用推進戦略会議が設置されており、府省庁間の横串を通しながら進められるのです。

日本のＩＴ戦略に関わる制度の歩み

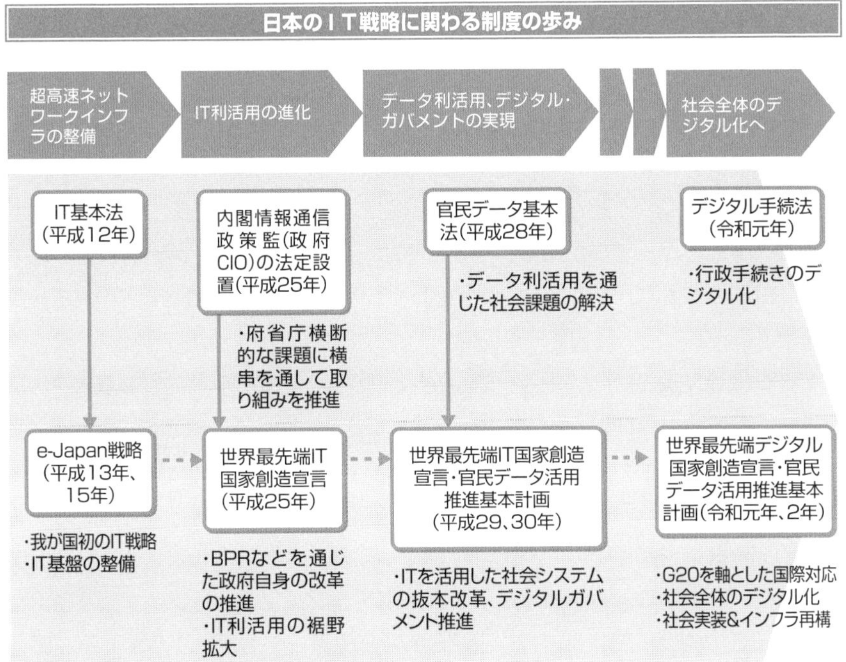

「新IT戦略の概要」(内閣官房、令和元年6月)より筆者編集

6-2 日本の制度の潮流2

6-1でとりあげた法制度と官民データ活用推進基本計画などに基づき、データ流通に関する様々な政策が具体的に推進されています。

データ流通の3つの要素

データ流通の制度を読み解くために、データ流通を3つの要素に分解して考えていきましょう（P.157図参照）。

まず、インプットとなるデータです。多くの場合、個人や企業がデータ提供者になります。次に、それらのデータを人から人、企業から企業などに流通させる場です。3つ目は、アウトプット側です。流通されたデータを社会の中でどのようなルールのもと活用していくかという視点になります。

インプットデータに関わる制度

現在、多くのデータが企業によって蓄積されています。データ流通の活性化のためには、それらのデータを、企業が囲いこむのではなく、流通させていくことが重要です。

データ流通促進のために「データポータビリティ」という考え方があります。これは、その名前の通り、データをポータブルできるという考えであり、例えば、個人が企業に預けた自分のデータを他の企業で活用したいと考えたときに、企業から企業の間で自分のデータを持ち運びできるのです。

このデータポータビリティはEUではGDPRで個人の権利として定められています。また、日本でも個人情報保護法や、特定デジタルプラットフォームの透明性及び公正性の向上に関する法律、2019年度官民データ活用推進基本計画「銀行システムのAPI（外部接続口）の公開の促進（オープンAPIの導入）【官民データ基本法第15条第2項関係】」で進められています。詳しくは6-3と6-4で解説します。

データ流通の場に関わる制度

データ流通の場として挙げられるのが、第5章や第7章で紹介する「情報銀行」や「データ取引市場」などです。これらは、官民データ活用推進基本計画に施策という形で記されています（いわゆる情報銀行やデータ取引市場等の実装に向けた制度整備として推進【官民データ基本法第12条関係】」)。この基本計画に基づいて、日本のデータ流通の施策が推進されているのです。

データ利用に関する制度

データ流通の場から提供されたデータを事業者が活用するときには、その権利や責任がどうあるべきかなどのルールの整備が重要になります。官民データ活用推進基本計画の「AI・データの利用に関する適切な契約の促進【官民データ基本法第11条第3項関係】」では、データの提供者、利用者、データ流通プラットフォーマなどのプレーヤー間の権利や責任をどのように契約で定めるとよいか、契約類型ごとに定めるべき条件などを整理した契約ガイドラインの整備が進められています。これは6-5で解説します。

データ流通を読み解く3つの要素

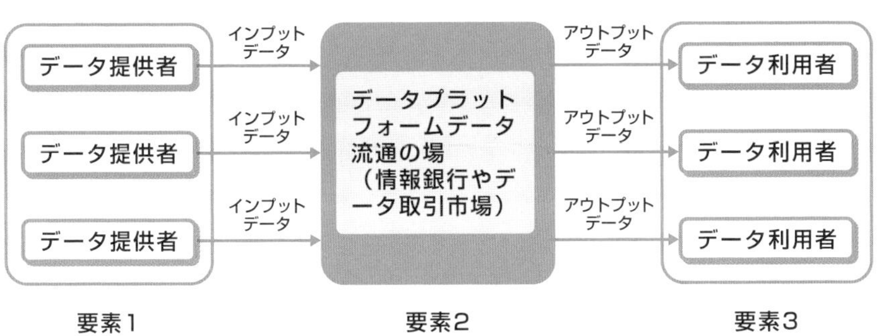

6-3 GDPRにおける データポータビリティ権

EUで施行されたGDPR（General Data Protection Regulation：一般データ保護規則）の中に「データポータビリティ権」が制定されました。これは、EU、そして世界における個人データの流通に大きな影響を与える制度です。どのようなものなのでしょうか、その内容と影響について説明します。

データポータビリティ権とは

2018年5月25日から施行されているGDPRとは、パーソナルデータに関する個人の基本的権利を保護するため、EU域内での統一的なルールを制定する法令（Regulation＊）です。そのGDPRの第20条にはデータポータビリティ権として、P.159「GDPR第20条　データポータビリティの権利」のように定められています。

ここでは、自分の個人情報について2つの権利を定めています。個人は自分のパーソナルデータを管理者（企業や各種機関）に預けた場合、それらの管理者から自分のパーソナルデータを、①「受け取る権利」と、②「他の企業や機関に移行させる権利」です。これらを電磁的に行うこととされています。

その根底には、パーソナルデータは個人に所有権があり、その情報のコントロール権もあるという基本的な考え方があります。そして、データポータビリティという名前の通り、個人は自分のデータを預けた管理者から受け取ったり、管理者から管理者へ移行させたりポータブルに活用できるという考え方になります。

データポータビリティ権が社会に与える影響

では、このデータポータビリティ権は社会にどのような影響を与えるのでしょう。

データポータビリティ権をEUが制定するには大きな狙いがあります。1つは「個人にとって、自らのデータをコントロールする基本的権利を強化する」ことです。しかし、それだけでなく、技術や経済の領域で米国のプラットフォーマーと戦うという意味合いもあるのです。

＊**Regulation**：EUにおいては、国内法に優先して加盟国の政府や企業、個人に適用される最上位の法令を指す。

世界ではいわゆるGAFAと呼ばれるプラットフォーマーがサービスと引き換えに個人のデータを収集して、それをもとに新しいサービスを開発しています。例えばFacebookの画像解析AIはFacebookに預けた個人の写真データをもとに開発されています。

現在、プラットフォーマーはほとんどが米国の企業です。米国の企業がEU市民のパーソナルデータを活用して成長するのに対し、EUの企業はデータを活用できないことで成長が遅れるという危機感がEUにはありました。そこで、GDRPにデータポータビリティ権を定めることで、データのコントロール権は個人にあると明確に規定しました。これにより、企業からデータを受け取ったり、企業の間を自由に移行できたりするようにすることで、米国の企業がEU市民のパーソナルデータを独占することを防ぎ、EUの企業がパーソナルデータを活用して、デジタル分野で発展できる環境を作ろうという狙いがあるのです。

GDPR第20条　データポータビリティの権利

Article 20 Right to data portability
第20条 データポータビリティの権利

1. データ主体は、以下の場合においては、自己が管理者に対して提供した自己と関係する個人データを、構造化され、一般的に利用され機械可読性のある形式で受け取る権利をもち、また、その個人データの提供を受けた管理者から妨げられることなく、別の管理者に対し、それらの個人データを移行する権利を有する。

(a)その取扱いが第6条第1項(a)若しくは第9条第2項(a)による同意、又は、第6条第1項(b)による契約に基づくものであり、かつ、(b)その取扱いが自動化された手段によって行われる場合。

2. データ主体は、第1項により自己のデータポータビリティの権利を行使する際、技術的に実行可能な場合、ある管理者から別の管理者へと直接に個人データを移行させる権利を有する。

(第3項、4項略)

出典:「EU一般データ保護規則:GDPR」の条文（日本の個人情報保護委員会による仮日本語訳）
https://www.ppc.go.jp/files/pdf/gdpr-provisions-ja.pdf
「個人データの取扱いと関連する自然人の保護に関する、及び、そのデータの自由な移転に関する、並びに、指令95/46/ECを廃止する欧州議会及び理事会の2016年4月27日の規則(EU)2016/679(一般データ保護規則)」

6-4 日本におけるデータポータビリティ権について

データ流通の活性化に重要であるデータポータビリティ権、EUではGDPR第20条に制定されていますが、日本ではどのように考えられているのでしょうか。現在の検討状況を説明します。

個人情報保護法の改正

日本において、データポータビリティ権はまだ制定されていません。2020年成立の改正個人情報保護法にも盛り込まれませんでした。その理由として、「個人情報保護法 いわゆる3年ごと見直しに係る検討の中間整理」(2019年4月公表)では、「データポータビリティの法的な義務化については、そもそも個人の権利利益の保護といった個人情報保護の観点以外に、産業政策や競争政策といった幅広い観点が存在する」として、消費者ニーズや事業者のメリット・実務負担などを含め今後の議論の推移を見守るとしています。

このように、データポータビリティ権は直接的には盛り込まれませんでしたが、2020年成立の改正個人情報保護法28条の開示請求権の中に、一部その考え方が盛り込まれました。開示請求権とはP.161の図に示す通り、個人が個人情報取扱事業者（企業や機関など）に預けた個人情報を開示請求できる権利であり、事業者は、本人の求めに応じて、保有する個人データを提供する義務が課せられています。

今までの個人情報保護法では、開示は原則書面の交付で取り扱うことになっていました。2020年成立の改正法では開示のデジタル化の推進として、電磁的方法での開示を個人は要求できるという内容に変更されています。事業者側は、多額の費用がかかる場合は書面でも可能となっていますが、情報技術の進展により、個人情報が膨大な情報を含む可能性があるという現実に即したものでしょう。

特定デジタルプラットフォームの透明性及び公正性の向上に関する法律

データポータビリティに関する消費者の権利を守るために、公正取引委員会は、2019年12月に独占禁止法の中の優越的地位の濫用に関して、「デジタル・プラットフォーム事業者と個人情報等を提供する消費者との取引における優越的地位の濫用に関する独占禁止法上の考え方」を策定しました。これは、今まで企業間でしか適用されてこなかった優越的地位の濫用禁止が、企業と消費者の間にも適用されることになるというものです。例えば、消費者がデジタルプラットフォーマーのサービスを利用するために、利用目的の達成に必要な範囲を超えて、意に反して、個人情報を取得・利用されるような場合に濫用が認定されます。

2020年5月に成立した「特定デジタルプラットフォームの透明性及び公正性の向上に関する法律」では、デジタルプラットフォーマーに対し利用者に対する取引条件などの情報の開示が義務付けられます。例えば、「特定デジタルプラットフォーム提供者が取得・使用するデータの内容、条件」や「利用者によるデータの取得・使用の可否とその範囲、方法等」について、開示が義務付けられます。GDPRが定義するポータビリティ権の1つである、利用者がデータを取得できるようにすることは義務付けられてはいませんが、取得の可否について開示が義務付けられました。このように、個人情報に関して、個人の権利を守る制度的取り組みが始まっています。

個人情報保護法における開示請求に関する変更案

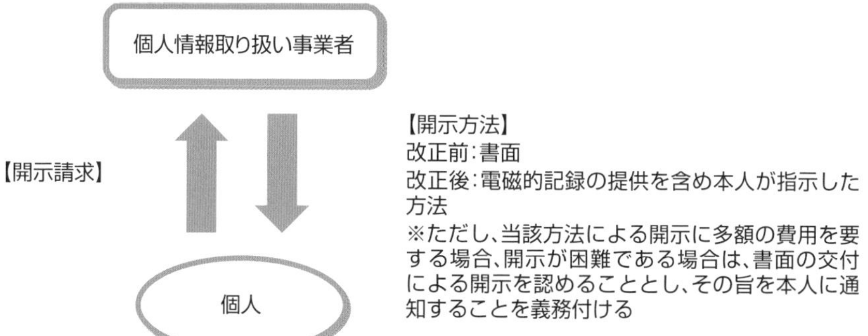

個人情報取り扱い事業者

【開示請求】

個人

【開示方法】
改正前：書面
改正後：電磁的記録の提供を含め本人が指示した方法
※ただし、当該方法による開示に多額の費用を要する場合、開示が困難である場合は、書面の交付による開示を認めることとし、その旨を本人に通知することを義務付ける

出典：「個人情報保護法 いわゆる3年ごと見直し制度改正大綱（2019年12月13日公表）」

6-5

AI・データ契約ガイドライン

社会の中で流通されるデータを活用するとき、その権利や責任がどうあるべきかなどのルールの整備が重要になります。特に企業間で流通される場合はそれらのルールは契約に盛り込まれることになるため、契約のガイドラインの整備が進んでいます。

「AI・データの利用に関する契約ガイドライン」とは

2018年6月、経済産業省は「AI・データの利用に関する契約ガイドライン」を策定しました。

近年、デジタル分野の進展により、企業間でのデータ流通が急速に増加してきています。特にAIの活用が進む中で、その学習用データを企業間で流通させるケースが増えています。企業間での取引のルールになるのは、契約です。しかしながら従来の契約は、データを企業間で共用して活用したり、他社にデータを提供するような想定はされておらず、トラブルを招く可能性や、新たに企業間で契約を検討するとなかなかまとまらず時間を擁する可能性がありました。そのため、データの流通やAIの活用の特徴をとらえ、契約類型別に契約事項や契約条件など企業間の契約締結のポイントを網羅的に整理した「データ編」と、AI技術に係る権利関係や責任関係について交渉ポイントや留意点を示した「AI編」から成る「AI・データの利用に関する契約ガイドライン」が策定されました。

契約類型とそのポイント

データ編では企業間のデータ流通のタイプを、「データ共用型（プラットフォーム型）契約*」「データ提供型契約」「データ創出型契約」の3つに分類して契約のポイントを整理しています。ここでは、データ共用型契約をとりあげてそのポイントを紹介します（P.163図参照）。

データ共用型では、複数の企業間でデータプラットフォームをハブにしてデータ

＊**データ共用型**：第7章でとりあげる「データ流通市場（マーケットプレイス）型」については、データの提供者と利用者が一致しないこと、データ共用を主目的としないことから、「データ共用型」には含まれないと同ガイドラインは明確に区分している。

を流通させる形態のビジネスが想定されています。

まず、契約の主体ですが、データ提供事業者とデータ利用者などのプレーヤーの間の個別契約ではなく、各プレーヤーとデータプラットフォーマーとの間で利用規約という形で契約を結ぶことを想定しています。

次のポイントは、取り扱う対象データです。データを共用する場合、一部のデータがその企業の秘密情報であったり、競合他社には開示を控えたいなどのケースがあります。それらを明確化するために、対象とするデータ、利用目的、利用範囲などを、データ提供者とプラットフォーマー、データ利用者とプラットフォーマーの間の利用規約で定めておくことが重要とされています。

また、成果物の権利の考え方についても整理がなされています。データ共用型では、プラットフォーマーがデータ提供者から集めたデータを加工・分析して成果物を作成するケースが考えられます。その権利の帰属について、紛争を回避するためには、成果物の利用権限に関する慎重な検討と利用契約などでの取り決めが望ましいとされています。ほかにも、個人情報の取り扱いやセキュリティ、利益配分の考え方、紛争解決についてなど、法的論点について詳細に提示されています。

なお、本ガイドラインは2019年7月施行の不正競争防止法改正をふまえ、同12月にデータ編を更新し、「AI・データの利用に関する契約ガイドライン 1.1版」として公開されています。今後さらなる実務の蓄積をふまえて議論とガイドラインへの反映が継続される見込みです。

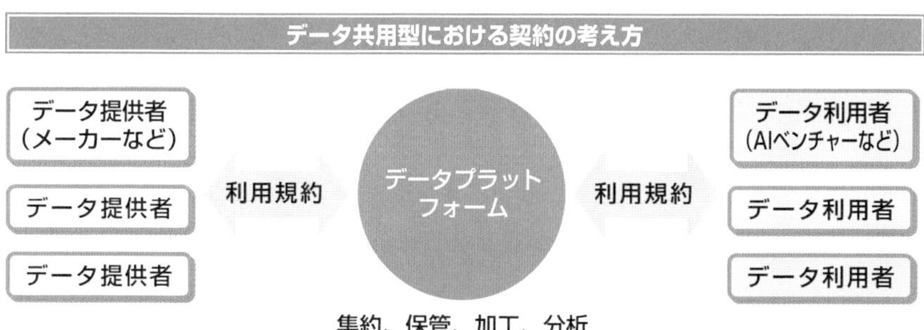

参考：「AI・データの利用に関する契約ガイドライン（概要）」（経済産業省、2018年6月15日）

6-6 金融業界におけるデータ流通に関する制度整備

データ流通においては、前節までで紹介した政策や取り組みに加え、業界ごとの法制度での対応も進んでいます。特に金融業界では様々な制度改定が始まっています。

オープンAPIの促進

2017年5月、銀行法等の一部を改正する法律が成立しました。ここではいわゆるオープンAPI（外部接続口）の導入として、「銀行システムのAPI（外部接続口）の公開の促進」が盛り込まれました。

法律が企業にオープンAPIの導入を求めたのは銀行業界が初めてです。銀行業界がオープンAPIを早急に促進した背景には、世界的なフィンテック企業の台頭があります。それまで、日本では銀行からフィンテック企業へのデータ連携がスムーズではないことが要因で、フィンテック企業のイノベーションが促進されないという課題がありました。法改正では、顧客の委託を受けて銀行と接続するフィンテック事業者を「電子決済等代行業」と位置付け、銀行に、API体制整備の努力義務、電子決済等代行業者との連携・協働方針や、接続基準の策定・公表を義務付けました。

これは、官民データ活用推進基本計画の中で2017年に「銀行システムのAPI（外部接続口）の公開の促進（オープンAPIの導入）【官民データ基本法第15条第2項関係】」が掲げられ、2020年までに80行を目標にオープンAPIを整備するというKPIが設定されました。金融庁の資料によると、2019年10月時点で邦銀130行が導入を表明し、うち99行はAPI導入済みです。

銀行に対して、他の企業へのデータ提供の促進を法律で定めたことは、日本のデータ流通を促進する大きな事例といえるでしょう。

データ流通事業の金融機関の業務追加

金融機関は、業態ごとに実施可能業務が業法で定められており、それ以外の業務を実施することはできません。そのため、今までは情報銀行などのデータ流通事業を金融機関が実施することはできませんでした。そのような中、2019年5月31日に「情報通信技術の進展に伴う金融取引の多様化に対応するための資金決済に関する法律等の一部を改正する法律」が成立しました。これにより、銀行法、保険業法、信用金庫法などが改正されることにより、金融機関が実施していい事業の中に、情報銀行やデータ取引所をはじめとするデータ流通事業も含まれるようになりました。

具体的には、図のように、「金融機関が保有する情報・データは、基本的に金融機関自身の業務のみに活用」している現状を、「金融機関が地域企業の経営改善に貢献したり、利用者のニーズに応えたりできるよう、その業務に、顧客に関する情報を同意を得て第三者に提供する業務等を追加」できるという内容になります。

データ流通事業を金融機関への業務に追加する法律について

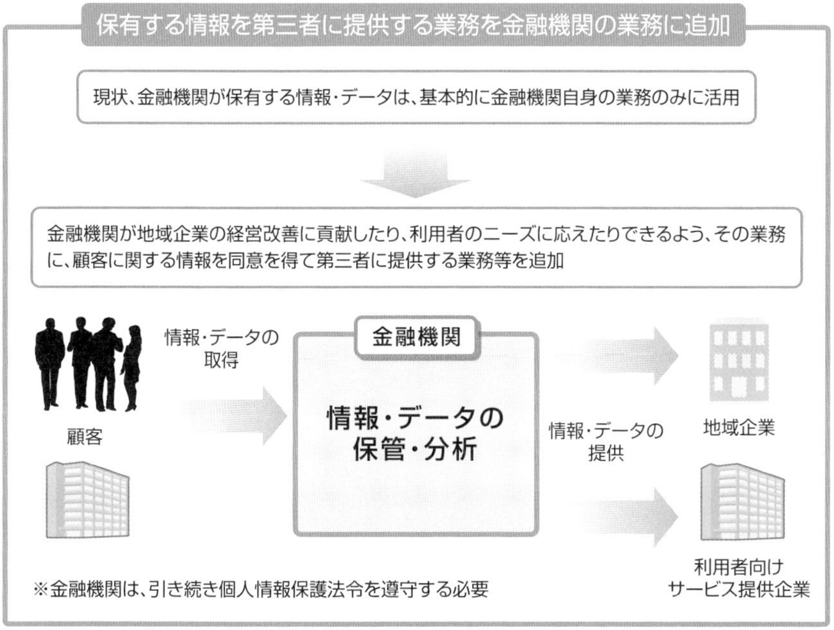

保有する情報を第三者に提供する業務を金融機関の業務に追加

現状、金融機関が保有する情報・データは、基本的に金融機関自身の業務のみに活用

金融機関が地域企業の経営改善に貢献したり、利用者のニーズに応えたりできるよう、その業務に、顧客に関する情報を同意を得て第三者に提供する業務等を追加

顧客

情報・データの取得

金融機関

情報・データの保管・分析

情報・データの提供

地域企業

利用者向けサービス提供企業

※金融機関は、引き続き個人情報保護法令を遵守する必要

出典：「情報通信技術の進展に伴う金融取引の多様化に対応するための資金決済に関する法律等の一部を改正する法律」説明資料（金融庁、平成31年3月）

データに所有権はあるのか

データ戦略やデータ流通を考えるとき、素朴な疑問として、法律上、データに所有権はあるのか疑問に思われる方が多いのではないでしょうか。

民法で、所有権が認められるのは動産や不動産といった有体物に限られています。つまり、無体物であるデータは民法上所有権の対象にはならないのです。そのため、データの世界では「誰々のデータ」という概念はなく、そのデータにアクセスできる人であれば、誰でも自由にデータを利用することができるのです。

もちろん、そのデータが個人情報であれば、個人情報保護法に従う必要があります。また、個人情報でない場合も、著作権や営業秘密といった知的財産として保護されていれば、その権利に従う必要があります。

現在、爆発的に増加しており、その価値が注目されているのは、知的財産の対象になることが多い加工されたデータではなく、IoTにより発生される大量のログデータや、AIの学習用データといった、いわゆる生のデータです。このようなデータを、ある企業が保有していたとしても、法律上は所有権の対象とならないため、その企業は他の企業がそのデータを利用することを制限することができないのです。そこで、重要になるのが、第5節でも紹介した契約なのです。法律で規定されていないならば、様々な取引において、自治的に契約の中で、取得・収集したデータの利用権限を定めておくことが重要になるのです。

第7章

データ取引市場

データ流通、データ利活用を促す仕組みの１つに「データ取引」があり、取引を実現する場が「データ取引市場」です。

第７章では、一般社団法人データ流通推進協議会（DTA）が考えるデータ取引とデータ取引市場の意義や機能、そして市場を運営する事業者（データ取引市場運営事業者）に求められる要件と認定制度について解説します。

7-1 データ取引市場の定義

「データ取引市場」や「情報銀行」「PDS（Personal Data Store）」という新たなデータ流通の仕組みにおいて、データ取引市場は、安心・安全なデータ流通を実現するための社会基盤として大きな役割が期待されています。

データ取引とは？　データ取引市場とは？

データ流通を実現する上で、重要な社会機能の1つとして期待されているのがデータ取引市場です。このデータ取引市場は、データ提供者（データ提供元ともいう）とデータ利用者（データ提供先ともいう）の仲介を行うとともに、データ取引の決済機能を提供するものです。一部では“データ取引所”と言われる場合もありますが、3-2で説明した通り金融における証券取引所や商品取引所とはその性質が異なるため、混同を避ける意味から、本書では“データ取引市場”という用語で説明します。

現代において、AIによる社会進化の源泉としてのデータが新しい価値資産であることは、広く認知されつつあり、ビッグデータという用語が多く使われています。ビッグデータといっても、単純にデータの量が多いということと、その種類が多いということは、ビッグデータの持つ意味が異なります。例えば、成人男子の血圧データが大人数分、あるいは長期間分あるという場合と、血圧、運動量、睡眠時間、購買履歴、移動履歴などの多種なデータがある場合では、それらのデータからAIなどが導き出せる推論の範囲が自ずと違ってくることは、容易に想像できるかと思います。

一方、IoT（Internet of Things）機器の普及により、様々な機器やセンサからのデータが収集され利活用されるようになりつつありますが、個々の会社や個人が設置し利用できる機器やセンサは、その業界や業態に限定されています。

そこで、業態や業界、会社や個人の限定された範囲で生成、収集するデータを、相互に流通させて利活用する仕組みとして、“データ取引”があります。ここで“データ取引”とは、「異なる組織や個人の間などの当事者間での合意の下でデータ提供元からデータ提供先へ提供されるのに伴い、データ提供先からデータ提供元が何らかの便益を得る行為」を示します。

このデータ取引を実現する場が、データ取引市場であり、その場を提供する者をデータ取引市場運営事業者と言います。また、このデータ取引市場を介したデータと便益の取引行為を、データの市場取引と言います。これらデータの特徴、また後述する仲介・決済といった機能提供の必要から、データ取引市場の多くはデジタルなプラットフォーム上に形成されると考えられます。

データ取引市場と証券・商品取引所などとの違い

これに対して、従来からデータ提供元とデータ提供先が直接、データとその便益を取引する形態は数多く存在しています。例えばSNSでは、利用者の様々なデータがSNSサービス運営会社に提供される代わりに、SNSサービスという便益が提供されており、これも1つのデータ取引の事例と言えますが、これはSNS利用者とSNSサービス運営会社との直接取引であり、データ取引市場を介した市場取引とは異なります。

つまり、データ取引市場とは、「異なる複数のデータ提供元とデータ提供先が参加し、データと便益が取引される場」ということになります。

このような社会基盤に類似するものとしては、証券取引所や商品取引所、または青果や魚などの卸売市場がありますが、データ取引市場で取り扱うデータは、証券や商品先物、青果などと以下の点が大きく異なります。

◆1. データは排他的所有ができない無形財である

データは、どのような形で提供されたとしても、その実体や記憶、記録は提供元に残る点が、有形財取引とは大きく異なり、排他的な所有ができません。このため、法による所有権という概念での保護が適さないと言えます。

◆2. データ取引により移転するのは、データの写像である

データの提供とは、データの実体の原本の移転ではなく、その写像の移転となります。

◆3. データ取引では、その一部または全部の利用権が移譲される

データ取引では、データ提供元と提供先の間で、そのデータの利用に関する約定を定めることにより、その利用権が移譲されます（所有権ではないことに注意）。

例えば、提供元がその原本を消滅させることや、他の第三者に提供しないことを約定で定めることにより、排他的所有と等価な移転は実現できます。

また、内閣官房情報通信技術（IT）総合戦略室のデータ流通整備検討会「AI、IoT時代におけるデータ活用ワーキンググループの中間とりまとめ」*では、データ取引市場の機能について以下のように想定されています。

> データ取引市場とは、データ保有者と当該データの活用を希望する者を仲介し、売買等による取引を可能とする仕組み（市場）。(価格形成・提示、需給マッチング、取引条件の詳細化、取引対象の標準化、取引の信用保証等の機能を担うことが想定される。)

データ取引市場

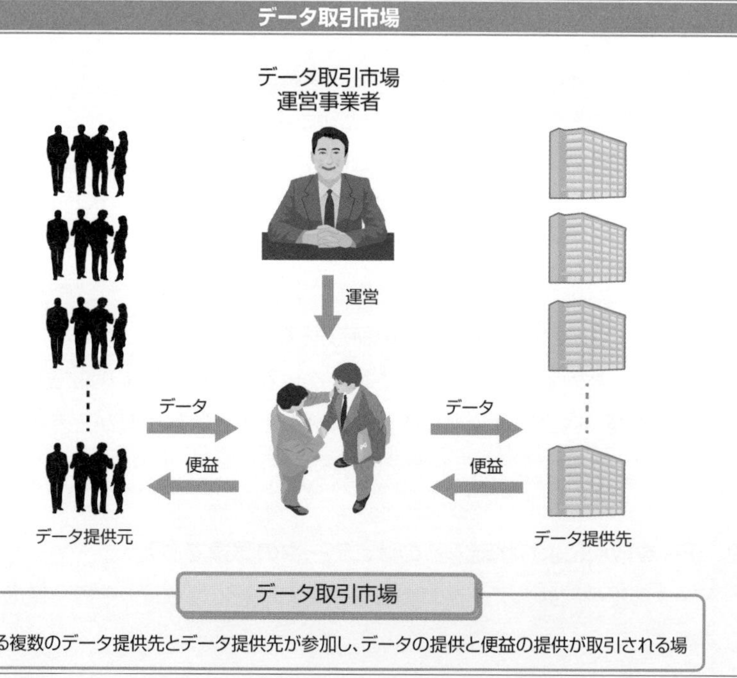

＊…**中間とりまとめ**：2017年3月公表。https://www.kantei.go.jp/jp/singi/it2/senmon_bunka/data_ryutsuseibi/dai2/siryou2.pdf

7-2 データ取引市場の意義

データの取引は、その提供者と利用者で直接に行うことができますが、データ取引市場を介することで、データ価値の共有化や新しいデータの発見、新たな利用者との出会いといった付加価値をもたらします。そこにデータ取引市場自体の存在意義があります。

市場取引の導入により需給バランスでデータの価格が決まる

データ取引市場に期待される社会基盤としての意義は、安心・安全に分野・業種を超えて、さまざまなデータの共有を可能とする仕組みを提供することです。これにより、従来ではできなかった新しいデータの組み合わせが可能となり、新たなビジネスの創出や相乗効果が生まれることが大きく期待されています。

データがその対価として財貨と直接取引される場合は、市場取引を導入することにより、データの価値を顕在化し、同一のデータであれば、その価格は市場の需給バランスにより一定の価値に収斂することが期待できます。

つまり、同一条件、同一種類のデータセットは、データ取引市場において、その時々の需給バランスによって決定される一定の価格水準に定まるわけです。逆に、もしそのデータセットが他のデータセットと比べて特徴的なデータ要素を含む場合には、異なる価格となり、特徴あるデータの発見が可能となります。

データの価格が第三者によって適切に評価可能となる

例えば、成人男子1万人の検診データセットがある場合、そのデータセットに含まれる項目やサンプルの分散などが同じ代替材が存在する一般的なデータセットであれば、価格が収斂すると予想されます。この結果、同じような価格帯でそのデータセットの取引が行われます。これに対して、居住する地域特性が付与された成人男子1万人の検診データセットや、検診データと既往症有無のデータが付加されたデータセットなどのように、特徴のある組み合わせを持つデータセットは、異なる価格にて取引されることになります。

本来、データの価値は、その内容や希少性にかかわらず、提供先における利用価値により大きく異なり、一物多価となる性質があります。しかし、データ取引市場によるデータの流通が増大することで、価値に対する情報の非対称性が取り除かれ、社会通念に照らして適切な合理的価値についての共通認識が形成されることが期待できます。

このことは、古物や美術品などでも、オークションなどによる流通が生まれたことで、社会通念に照らして合理的とされる評価額が定まっていくことと同様です。

このように、データの価値、価格が第三者によって適切に評価可能となることで、データは将来において課税対象にもなり得る資産化が実現できる可能性を示しています。

データの価値に対する社会合意形成（量、特徴、希少性など）

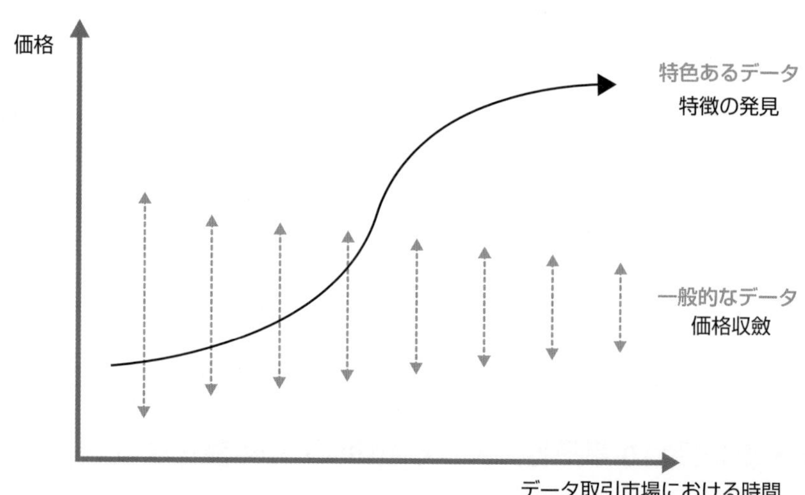

7-3 データ取引市場の提供する機能 ①仲介機能

データ取引市場が提供する機能の中でも、その中核となるのがデータ提供者とデータ提供先の間でデータを仲介する機能です。

仲介機能

異なる複数のデータ提供元とデータ提供先が参加し、データと便益が取引されるデータ取引市場が、データ提供元とデータ提供先である参加者に対し提供する基本機能の1つが仲介機能です。

データ取引市場では、データ提供者が提供可能なデータセット*の概要やメタデータ、サンプルデータや提供条件などを取引市場で開示し、これをデータ提供先が検索、閲覧できる仕組みが提供されます。

また、第8章で示すように、実装によっては、データ提供先側から求めるデータセットの概要やメタデータの要求事項を示し、これを適切なデータ提供元に通知するなどの仕組みを提供する場合もあります。

仲介機能を中立かつ公平に提供する上で最も重要なことは、データ取引市場運営事業者は、マッチングに必要な情報の登録や検索機能を提供することのみを行い、自らが特定のデータセットの登録や検索、要求などを行わないことです。

特に、取引の有無にかかわらず、データ取引市場運営事業者が、自らデータ提供先となり、定常的にデータを配備、保管することは、それらのデータを積極的に販売させるインセンティブを誘発し、中立性を損なう要因となりますので、このような行為を行わないことが重要になります。6-5でとりあげた「共用型（プラットフォーム型）」との違いはこの点にあります。

また、提供価格などのデータ取引条件の交渉は、データ提供者とデータ提供先により行われ、データ取引市場運営事業者は、その交渉を円滑に進めるためのシステムの提供のみを行うことで、価格決定に関与するような恣意性を排除することが求められます。

＊**データセット**：ここでは、市場で取引される対象としての、ひとかたまりのデータ。複数のデータとデータの属性などを示すメタデータで構成されたデータが想定されるが、特定のデータ形式や授受方法に限定されるものではない。

総務省の情報通信審議会　情報通信政策部会　IoT政策委員会　基本戦略ワーキンググループ「データ取引市場等サブワーキンググループ取りまとめ*」では、具体的なルールの事例として、体制の整備の項目において、以下のように検討結果が記載されています。

> 売買を行わない、自らデータを保持しない、価格決定をしない（公正・中立の立場から取引を仲介）

この総務省の取りまとめを受けて、一般社団法人データ流通推進協議会（DTA）が制定したデータ取引市場運営事業者認定基準の説明文書では、データ取引市場運営事業者を、以下のように定義しています。

> データ提供者とデータ提供先を仲介し、データと対価の交換・決済の機能を提供する者。データ取引市場運営事業者は自らデータを収集・保持・加工・販売をしない。

データ取引市場運営事業者の定義

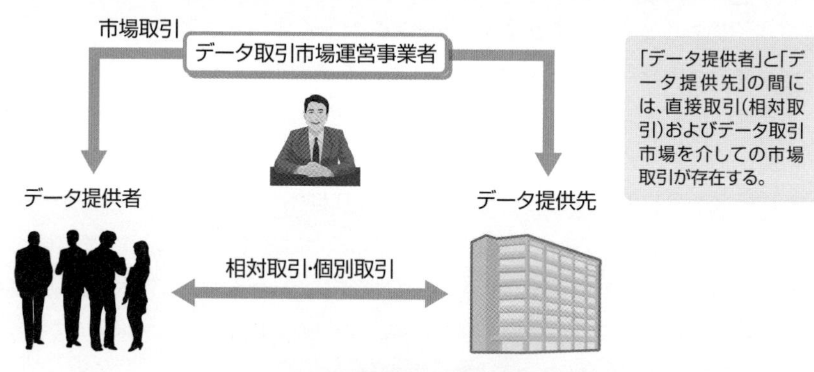
市場取引
データ取引市場運営事業者
データ提供者
データ提供先
相対取引･個別取引
「データ提供者」と「データ提供先」の間には、直接取引(相対取引)およびデータ取引市場を介しての市場取引が存在する。

データ取引市場運営事業者

データ提供者とデータ提供先を仲介し､データと対価の交換･決済の機能を提供する者。データ取引市場運営事業者は自らデータを収集･保持･加工･販売をしない。

＊…取りまとめ：2017年3月公開。https://www.soumu.go.jp/main_content/000501157.pdf

7-4 データ取引市場の提供する機能②決済機能

データ取引市場運営事業者が提供するもう1つの中心的な機能は、データ取引に係る対価とデータの確実な交換を行うための決済機能です。

データ取引の流れの例

一般に、代金決済は、電子決済であれクレジットカード支払いや現金決済であれ、その基本は、品物や役務の提供と対価の支払いの両方の行為が確実に実行されることが重要です。

データ取引における代金決済は、データ提供者とデータ提供先が合意した条件に合致したデータセットの写像とその利用条件が確実に移転し、その対価が確実に支払われることを意味します。

一般的なデータ取引市場を介したデータ取引の流れの事例を下図に沿って説明します。

1) データ提供者は、自らが提供可能なデータの概要やその提供条件などを、データ取引市場に登録します。

   1-1) あるいは、データ提供先が登録したデータ要求概要を検索し、それに対応したデータがある場合には、そのデータ概要を登録します。

2) データの提供を受けるデータ提供先は、データ取引市場にアクセスし、提供を受けたいデータを検索します。

   2-1) あるいは、適当なデータがない場合には、要求するデータ要求概要を登録します。

3) データ提供者とデータ提供先は、取引したいデータまたはデータ要求概要を見つけた場合、データ取引市場運営事業者の提供するプラットフォーム上で、価格やデータ提供項目の詳細を交渉します。

4) 交渉の結果、取引条件について合意ができた時点で、データ提供先は、データ取引市場運営事業者の提供するプラットフォーム上で注文書を発行します。

5）注文書を受け取ったデータ提供者は、その内容を受諾する場合、データ取引市場運営事業者の提供するプラットフォーム上で注文請書を発行します。

この時点で、データ取引の合意が成立したことになり、データ提供者とデータ提供先には、それぞれデータ提供とデータ受領の履行義務が確定します。

大事なことは、この時点までは、提供されるデータは取引市場に存在せず、かつ交渉にデータ取引市場運営事業者が介在しないことです。

6）データ提供者は、指定された期日までにデータをデータ取引市場運営事業者の提供するストレージエリアに納品します。

6'）一方、データ提供先は、対価をデータ取引市場運営事業者に収めます。

7), 7'）データと対価が間違いなく揃った時点で、データ取引市場運営事業者は、対価をデータ提供者に、データをデータ提供先に送達します。

以上は、一般的な流れであり、対価の支払い方法やデータの収受などの方法は、データ取引市場運営事業者のサービスにより異なります。

ここで重要なことは、データ取引市場運営事業者は、このような仕組みを参加者に対して公平かつ一律に提供することであり、その内容を約款などで明確に定めておくことです。そうした仕組みが求められる理由を7-5で、データ取引市場運営事業者に求められる具体的な要件を7-6で説明します。

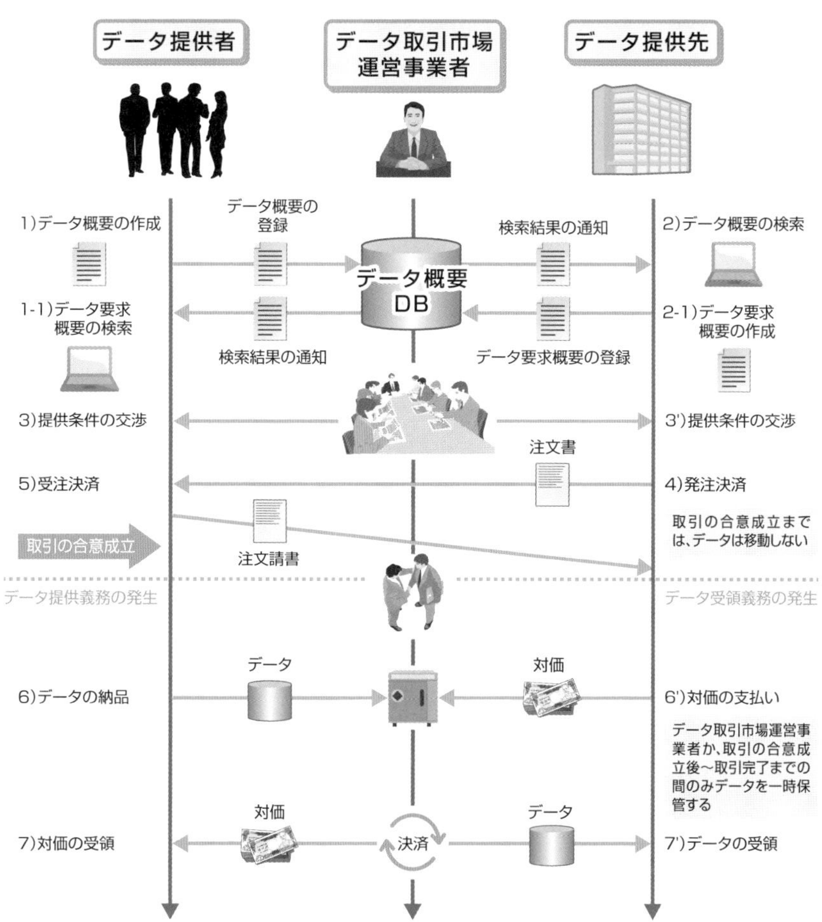
データ取引の流れ
データ提供者
データ取引市場
運営事業者
データ提供先
1)データ概要の作成
データ概要の
登録
検索結果の通知
2)データ概要の検索
データ概要
DB
1-1)データ要求
概要の検索
2-1)データ要求
概要の作成
検索結果の通知
データ要求概要の登録
3)提供条件の交渉
3')提供条件の交渉
注文書
5)受注決済
4)発注決済
取引の合意成立まで
は、データは移動しない
取引の合意成立
注文請書
データ提供義務の発生
データ受領義務の発生
データ
対価
6)データの納品
6')対価の支払い
データ取引市場運営事
業者か、取引の合意成
立後～取引完了までの
間のみデータを一時保
管する
対価
データ
7)対価の受領
決済
7')データの受領

7-5 データ取引市場運営事業者

データ取引市場を運営する事業者は、データ取引に対する中立性や公平性を担保し、不正取引を防止し、さらにはデータ取引市場への参加者を保護する役割があり、データ提供者やデータ提供先とは区別されます。

データ流通市場におけるデータ取引市場の位置付け

業態や業界、法人や個人が生成、収集、加工したデータを、相互に流通させ利活用する経済圏全体を広義にデータ流通市場とした場合、データ取引市場運営事業者、単純にデータを生成する者、利用する者以外に、データの流通を支援する様々な事業者が存在します。

データ流通市場

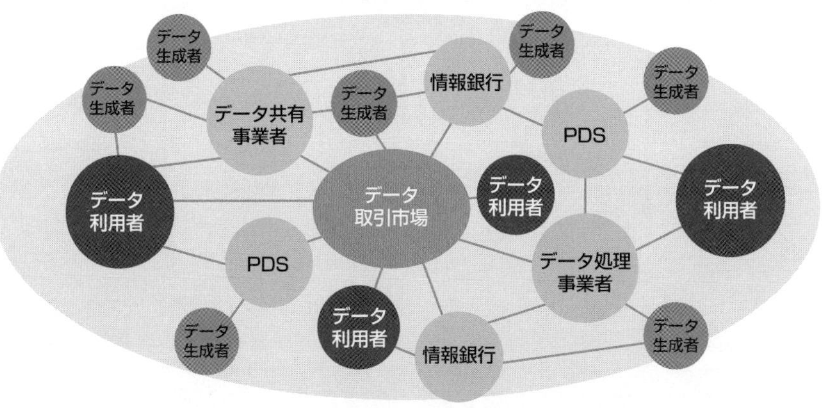

データ流通の支援業事業者にはPDS、情報銀行、データ共有事業者、データ処理事業者のように、第三者からデータを受け取り（または利用許諾を受け）、加工、整備、保管する事業者が含まれます。

そして、これら各事業者間では、相対による直接データ取引とデータ取引市場を介したデータ取引があり、左図のようなデータ流通市場が形成されると考えられます。

データ流通支援事業者（データブローカー）とデータ取引市場運営事業者の違い

データ取引市場への参加者という視点からデータ流通市場の各ステークホルダーを整理した分類は、一般社団法人データ流通推進協議会（DTA）が制定したデータ取引市場運営事業者認定基準の説明文書*に示されています。

ここで、次ページの図に示すように、データを提供する者として、自らの事業や観測活動などによりデータを生成、取得し、またはそれらのデータを整理・加工したり保管・配備したりする者をデータ生成者、他のデータ提供者からのデータに対し、整理・加工・保管・配備し、提供する者をデータ流通支援事業者（データブローカー）と定義しています。

これに対して、データ提供者からデータの提供を受け、サービス・製品など自らの事業に利用する者がデータ提供先として分類されています。

これらは、役割の分類なので、実際に多くの事業者は、データ提供者であると同時に、データ提供先となると想定されています。

データ流通支援事業者とデータ取引市場運営事業者の違いについては、例えば、情報銀行は、個人からのデータを収集し、整理、加工し、第三者へ提供をしますので、この分類ではデータ流通支援事業者になります。また、産業界において特定の産業のデータを共有するデータ共有事業者も、同様に他のデータ提供者からのデータに対し整理・加工・保管・配備し提供する者ですから、データ流通支援事業者（データブローカー）となります。

すなわち、データ流通支援事業者（データブローカー）は自らデータを収集・保持・加工・販売を行うのに対して、データ取引市場運営事業者はそれらの行為を行わない点が異なるわけです。

* …の説明文書：2019年1月公表。https://data-trading.org/wp-content/uploads/2019/01/dta_20180928_02.pdf

データ取引市場参加者の分類

データ取引市場運営事業者

データ提供者とデータ提供先を仲介し、データと対価の交換・決済の機能を提供する者。データ取引市場運営事業者は自らデータを収集・保持・加工・販売をしない。

データ取引市場への参加者

データ提供者

データ生成者

自らの事業や観測活動などによりデータを生成、取得する、またはそれらのデータを整理・加工したり保管・配備したりする者で、データ生成者という。

データ流通支援事業者

他のデータ提供者からのデータに対し、整理・加工・保管・配備する者をデータ流通支援事業者（データブローカー）といい、データ共有事業者・PDS・情報銀行・データ処理事業者が含まれる。

データ提供先

データ提供者からデータの提供を受け、サービス・製品などに活用する他、自らの事業に利用する者。

情報銀行とデータ取引市場の関係

情報銀行では、情報銀行からデータの提供を受け取る者は、その情報を第三者に提供できません。しかしながら、データ取引市場は、専ら仲介・決済機能を提供する透過型モデルのため、データ取引市場運営事業者はデータ提供先ではなく、情報銀行とデータ提供先の中間に位置付けられることが想定されています。

また、情報銀行がデータ取引市場の仲介により個人から情報の提供を受けることも、想定されています。

情報銀行とデータ取引市場の関係

情報銀行 → データ提供先 ✕→ データ提供先

情報銀行 → データ取引市場 → データ提供先

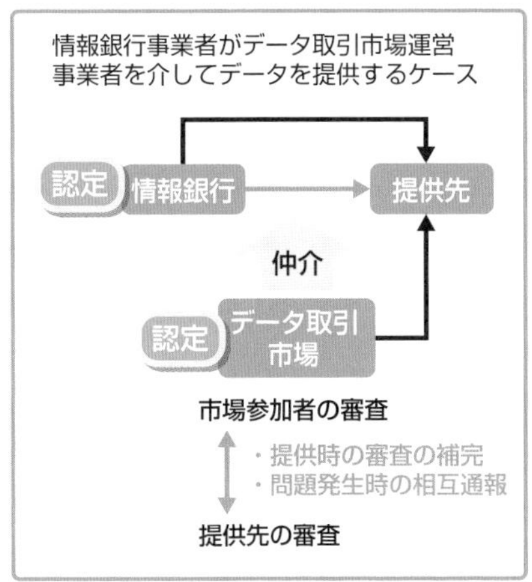

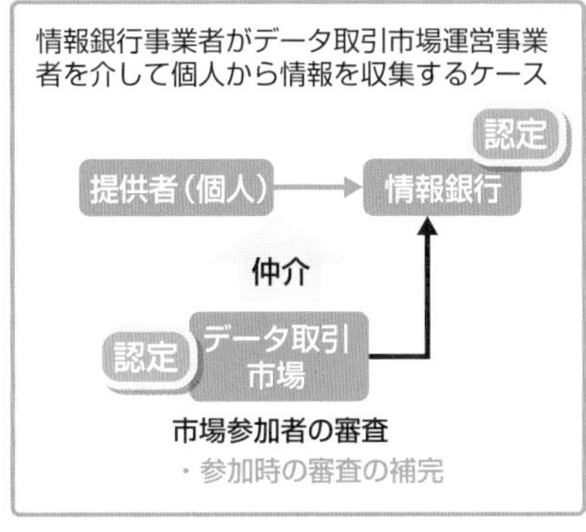

情報銀行とデータ取引市場が連携すると、データ提供者、提供先、情報銀行、市場それぞれにとって取引のチャンスが増えると期待されます。また、情報銀行とデータ取引市場がそれぞれ認定*を受けていれば、相互に信用が補完される効果もあります。

他方、連携にあたっては、情報銀行は個人情報を取得する際の包括合意や提供先の信用確保、データ取引市場は多様な参加者の便益確保を前提とした情報銀行の信用確保を、より慎重に実行する必要があります。

* **認定**：情報銀行の認定に関しては5-3～5、データ取引市場の認定に関しては 7-6～9を参照。

7-6 データ取引市場運営事業者の認定

一般社団法人データ流通推進協議会（DTA）では、データ取引市場を運営するデータ取引市場運営業者に対する認定基準を制定し、2018年に公開しました。現在、この認定基準に基づき認定の実施に向けた検討を進めています。

認定基準作成の背景

総務省は、2017年に情報通信審議会　情報通信政策部会　IoT政策委員会　基本戦略ワーキンググループ「データ取引市場等サブワーキンググループ取りまとめ」を公開しました。この取りまとめにおいて、データ取引市場及び取引市場のプレイヤーについて、公平で公正な市場を確保するために、民間事業者の自主的な取り組みにより、一定の要件を満たした者について社会的に認知をするための任意の認定制度を設けることが望ましいという結論が示されました。

この取りまとめでは、データ取引市場の事業者に求める要件として、以下が示されました。

＜体制の整備＞

1. 経営的安定性の担保、セキュリティ体制、ガバナンス体制の確保
2. 売買を行わない、自らデータを保持しない、価格決定をしない（公正・中立の立場から取引を仲介）

＜データ提供者との間の約款の策定、公表＞

1. データの取引方法、安全対策等について定型化された約款の作成
   ①取引情報の記録（トレーサビリティの確保）
   ②市場運営者が取引される情報の閲覧、市場運営により得た情報の他の目的での利用・第三者への漏洩の禁止（不正行為の防止）
   ③取引参加者が、取引内容を何時でも追加、変更、削除できる趣旨の明示（コ

ントローラビリティの明示）
④取引参加者が、自らの情報の利用履歴を何時でも閲覧できる趣旨の明示
⑤第三者利用に供された先で情報漏洩があった場合の対応の明示（損害賠償責任の範囲・請求先）
2. データ提供先の事業者との間の約款の策定、公表
①データの利用目的、データの取引方法、安全対策等について定型化された約款の作成
②第三者利用に供された先で情報漏洩があった場合の対応の明示（損害賠償責任の範囲・請求先）
③不正行為の禁止
3. データ取引に関するルールの策定
①取引参加者への資格設定

この取りまとめを受け、民間による自主的な取り組みを推進するために、DTAが設立されました。DTAには2020年現在、運用基準検討委員会、認定審査委員会、技術基準検討委員会、利活用促進委員会、国際標準化推進委員会、戦略企画委員会の6つの常設委員会が設置されていますが、そのうち運用基準検討委員会がデータ取引市場運営事業者認定基準（以下、認定基準*）を開発しました。認定基準は解説文書*とともにDTAホームページに公開しています。また、認定基準に基づき、認定審査委員会が実際の認定行為を行っていく予定です。

7-7で認定基準の概要、7-8では認定の具体的な要件、7-9ではDTAによる認定行為の概要について解説していきます。

＊**認定基準**：データ取引市場運営事業者認定基準_D2.0。2018年8月23日発行。https://data-trading.org/wp-content/uploads/2019/01/dta_20180928_01.pdf
＊**解説文書**：データ取引市場運営事業者認定基準_説明_REV1.1。https://data-trading.org/wp-content/uploads/2019/01/dta_20180928_02.pdf

7-7 データ取引市場運営事業者認定基準の概要

一般社団法人データ流通推進協議会（DTA）のデータ取引市場運営事業者認定基準（以下、認定基準）には、目的と理念、原則、適用対象といった概要、具体的要件、認定行為を定義しています。ここでは全体構成と概要について説明します。

認定基準の構成

DTAでは、前節に示した「データ取引市場等サブワーキンググループ取りまとめ」を拠り所として、下図に示す構成からなるデータ取引市場運営事業者認定基準（以下、認定基準）を作成しました。

データ取引市場運営事業者認定基準の構成

設定基準の目指すところ	拠るべき原則	対象と要件の概要	具体的要件（7-8参照）	認定行為の概要（7-9参照）
・目的 ・基本理念	・基本原則 1.中立性 2.透明性 3.公正性 4.安全性 5.法令遵守	・適用対象 ・データ取引市場運営事業者に求められる要件	・体制の整備 ・データ提供者との間の約款の策定、公表 ・データ提供先との約款の策定、公表 ・データ取引に関するルールの策定	・データ取引市場運営事業者の認定 ・認定業務を行う者 ・認定の取り消し

目的と基本理念（認定基準の目指すところ）

認定基準による認定の目的は、認定の要件を満たしたデータ取引市場運営事業者（以下、認定事業者）が適正な市場運営を行うことで、安全で効率的で利便性の高いデータ取引市場を実現することです。

また、データの価値を市場の機能を使って「見える化」し、透明で公正な市場運営が行われることでデータ取引市場に対する社会的な信頼を高めることを基本理念としています。

認定基準の目的と基本理念

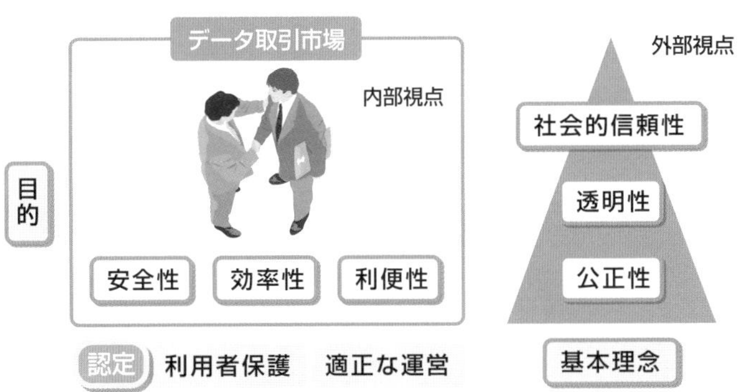

拠るべき原則

◆1. 中立性

認定事業者は、取引市場参加者に対し、自らが運営している市場で自己に有利な取引を誘発することがないように、中立性が求められます。外観的な中立性が確保されるために、自らは取引に参加しないことが求められるだけでなく、特定の取引市場参加者に有利にならないように取引市場参加者に対する中立性も強く求められます。

中立性

◆2. 透明性

認定事業者は、データ取引における各プロセスにおいて取引ルールを定めて広く一般に公表し、適切に運用するという運用の透明性が求められます。

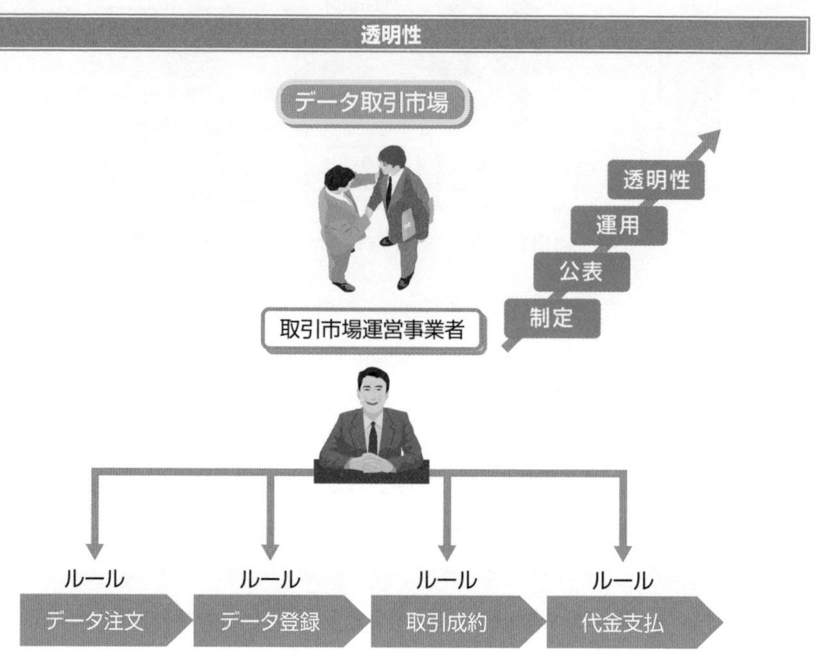

◆3. 公正性

認定事業者は、データ取引市場においてデータの仮装売買や馴合売買*のような取引価格の操作が行われて一部の取引市場参加者が不利益を被ることがないような仕組みを構築することが求められます。

＊**仮装売買や馴合売買**：取引が活発に行われていると他の投資家に誤解させる目的をもって、自らあるいは他の市場参加者と共謀し、不当に売買を行うような行為。

公正性

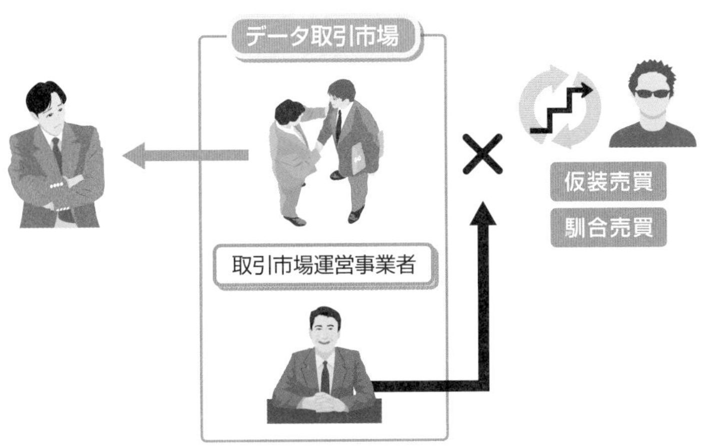

◆4. 安全性

認定事業者は、データ取引市場運営システムについて安全対策を講じて、それを着実に実行することにより、不正アクセスなどによる情報漏洩が起こらないようにすることが求められます。

安全性

データ取引市場

取引市場運営事業者

不正アクセス

◆5. 法令遵守

認定事業者は、適正な事業運営を行うための内部統制を構築するとともに、法令を遵守してデータ取引市場を運営するが求められます。この結果、社会的なインフラとしてのデータ取引市場の重要性が高まっていくことが期待されています。

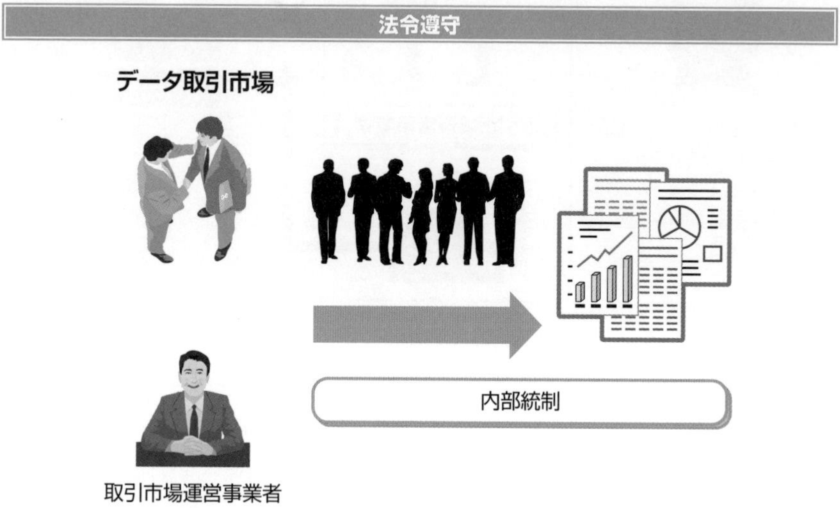

法令遵守

データ取引市場

内部統制

取引市場運営事業者

認定基準の対象

認定は、7-8で説明する認定基準が求める具体的要件を満たし、7-9記載の手順でDTAに認定申請を行ったデータ取引市場運営事業者を対象に実施されます。

7-8 認定が求める具体的要件

データ取引市場運営事業者認定基準（以下、認定基準）では、適正なデータ取引市場運営を実現するために、以下の具体的な要件を認定事業者に求めています。

1. 体制の整備

認定事業者は、データ提供者及びデータ提供先（以下、市場参加者）が認定事業者の体制不備に起因する不利益を被らないように自らの組織の体制を整備し、市場参加者並びにデータ取引自体の安全性を確保することが求められます。認定基準では、体制の整備の要件として、経営的安定性、情報セキュリティ、ガバナンス体制及び法令遵守について規定しています。

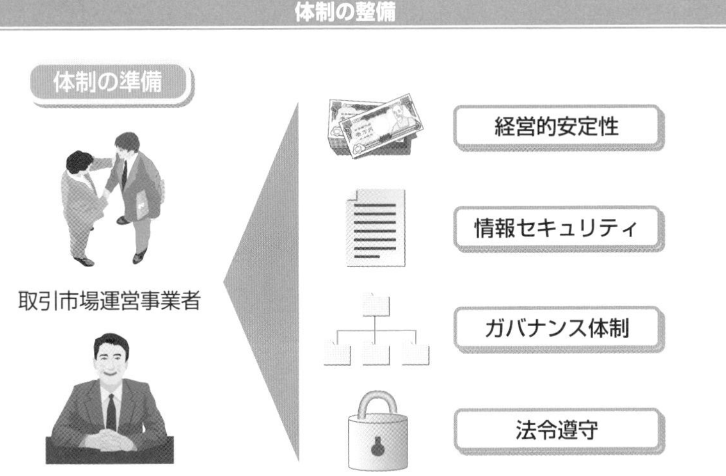

2. 約款の策定と公開

認定基準では、認定事業者がデータ提供者との間、データ提供先との間で、以下①～⑩の各事項に対し一律の約款を定め、これを取り交わすことを求めています。

約款の策定と公開

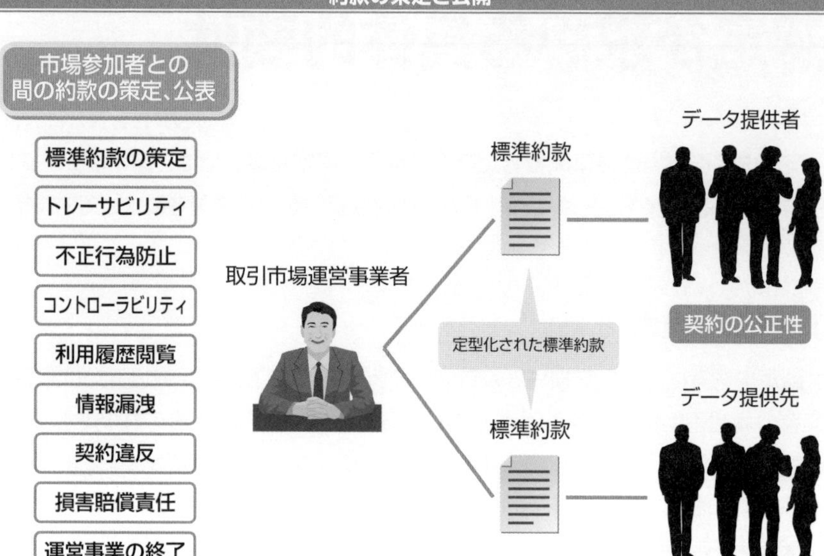

❶標準約款の策定

認定事業者は、市場参加者との間で、定型化された標準約款を使って契約を締結することが求められます。契約を標準約款により定型化することで、市場参加者との契約の公正性が保たれます。

❷トレーサビリティ

取引情報の記録・保管の方法を定めることを求めています。

❸不正行為防止

不正なデータの閲覧、データの目的外利用や第三者への漏洩、仮装売買や馴合売買による価格操作などの不正行為を防止する方法を具備することを求めています。

❹コントローラビリティ

取引条件や取引要件の追加、変更、削除方法を定めることを求めています。

❺利用履歴閲覧

データの取引履歴の閲覧方法を定めることを求めています。

❻情報漏洩時の対応

情報漏洩時の損害賠償責任の範囲や請求先を定めることを求めています。

❼契約違反への対応

契約違反に対する対応方法を定めることを求めています。

❽損害賠償責任

損害賠償責任の明確化を求めています。

❾運営事業の終了

データ取引市場の運営事業の終了や譲渡時の対応を定めることを求めています。

❿契約解除

契約解除時の対応を定めることを求めています。

3. データ取引に関するルールの策定

認定事業者は、データ取引に関するルールの策定と法令違反に対する適切な対応を求められます。

❶参加資格

認定事業者は、市場参加者に対して、参加資格を設定して公表することが求められます。具体的な参加資格は認定事業者に委ねられていますが、データ取引に関する一定のルールを守る参加者で形成されることにより、市場の透明性や安全性の確保が期待されます。この参加資格は、データ提供者およびデータ提供先の両方に設定されます。

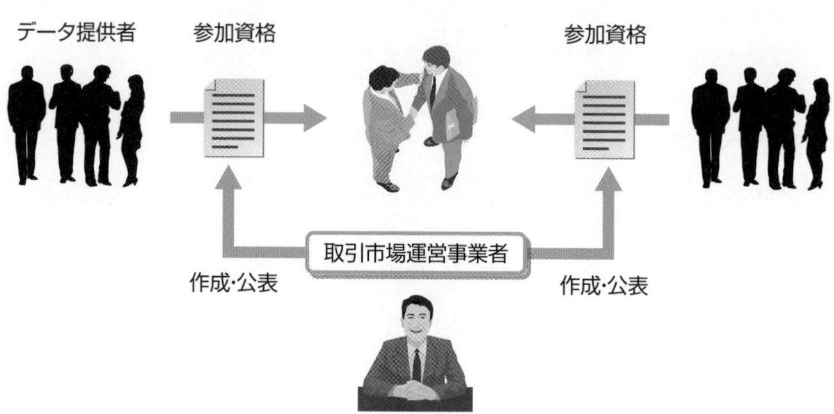

❷法令違反への対応

認定事業者は、法令違反のデータが取引市場を使って取引されていることが明らかとなった場合は、市場参加者に対してその旨及び根拠を通知した上で、データ取引を停止する措置をとることが求められます。

7-9 認定行為の概要

データ取引市場運営事業者は、前節で説明した認定基準を満たして認定事業者になることにより、安全で効率的で利便性の高いデータ取引市場であることをアピールできます。ここでは一般社団法人データ流通推進協議会（DTA）による認定行為の流れを説明します。

1. 認定の任意性

この認定基準による認定制度は、民間団体であるDTAによる任意制度であり、データ取引市場運営事業者に強制されるものではありません。そのため、DTAによる認定を受けていないデータ取引市場運営事業者が、データ取引市場運営事業者を名乗ることを防げるものではありません。

認定制度の利用は任意

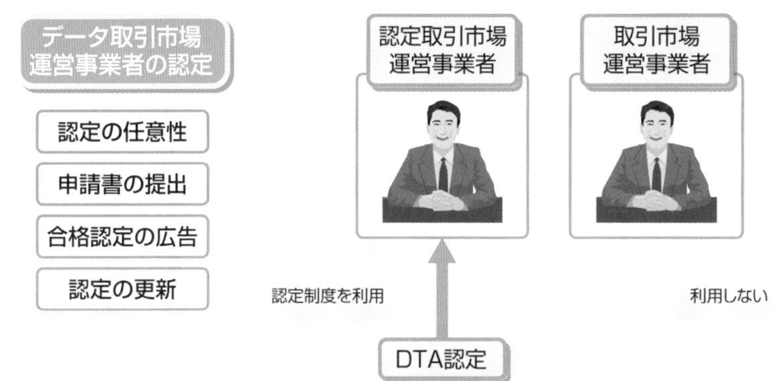

2. 認定行為の手順

データ取引市場の認定制度を利用するデータ取引市場運営事業者は、DTAが定める「認定申請書」を提出します。DTAは認定申請書の受領をもって、認定手続に入ります。なお、DTAは、特段の事情がない限り、申請者からの取引市場運営事業者の認定の申請を受け付けなければならないと定めています。

3. 認定の実施

認定業務は、DTAの認定審査委員会が行った上、第三者により構成される諮問委員会へ諮問し、その答申を受けた上で、認定審査委員会が認定の可否を決定します。なお、一連の認定行為・手順の適正性については、DTAの理事会が審議し判定します。

4. 合格認定の公開・更新・取消

認定審査の結果、データ取引市場運営事業者が認定に合致した時、DTAは申請者に認定書を発行するとともに、その結果を公開します。

認定は有効期限の定めがあり、期限を更新する場合に、再認定が必要となります。また、データ取引市場運営事業者への認定を行った後に、その認定事業者において認定を取り消すべき特別な事情が生じた場合には、DTAは認定を取り消すことができます。

データ取引やデータ取引市場に関わるデータ生成、処理や信頼の担保といった技術革新はめざましく、今後もたゆまぬ進化が予想されます。また、データ取引市場の成熟に伴い、市場に求められる機能も変化していくと考えています。このためDTAでは、活用可能な技術の動向をふまえた技術基準などへの適応性を見極めながら、時勢にふさわしい認定基準を議論し、必要に応じ見直しを重ねていく方針です。

また、認定審査委員会では、データ取引市場運営事業者の認定が円滑に進み、市場参加者が活用しやすいように、手続きに関する解説やチェックリスト、認定マークなどの検討を進めていきます。

データ取引市場は、国が検討した大きな枠組みを拠り所に、民間団体であるDTAが主導する、理想的「官民協働」で進む取り組みです。DTAは市場参加者のニーズに対してオープンであり、データ流通活性化へ向けた提案や意見をふまえて基準を検討しています。それがDTAがコンソーシアム方式を採用する理由でもあります。

第8章

実践 データ取引

第７章で説明したデータ取引市場の機能やデータ取引市場運営事業者の役割を満たすには、どのようなシステムが必要でしょうか。本章では、データ取引市場運営事業者のひとつであるエブリセンスジャパン株式会社のデータ取引市場「EverySense Pro」の実装例から、データ取引市場ではどのように安全・安心にデータを取引できるのか、データ提供者及びデータ提供先（データ利用者）それぞれの立場から説明していきます。

8-1 データ取引準備（データ取引市場参加資格の取得）

データ提供者及びデータ提供先がデータ取引市場に参加するには、7-8でデータ取引市場が策定することになっている「参加資格」を取得する必要があります。エブリセンスジャパン株式会社（以下、データ取引市場運営事業者）のEverySense Proにおける参加の手続き、またEverySense Proのデータ取引市場の仕組みや機能について簡単に紹介します。

データ取引の流れ

7-4で説明した通り、データ取引の主要な局面には、商談、注文、納品、そして決済の4つがあります。P.197の図表に示すように、取引過程に沿って、まずは時系列で簡単に触れておきましょう。

データ取引市場EverySense Proの参加資格をもつデータ提供者が、8-2で商品データ登録を行うと、該当するデータは8-3の通り公開対象の利用者から検索可能となります。データ提供先になり得る購入希望者は自らの目的に応じてそれを検索し、希望する条件に近いデータが見つかり次第、そのデータに対して問い合わせ・商談・注文をすることができます。

その後当事者間で商品や提供条件、価格、納期などの商談を行い、データ提供先が注文依頼を出してデータ提供者が注文を請けると、7-4で説明したデータ取引の合意が成立します。データ提供者にはデータ提供の履行義務が、データ提供先にはデータ受領と対価の支払い義務が確定します。

合意に基づくデータ授受の後、データ提供先はデータ取引市場を通じてデータ提供元へ対価を支払います。

EverySense Proの場合、7-4に示したデータ取引の流れにおける商談の状況は、P.197下表の7つのステータスに変化します。この商談ステータスは、取引の進捗状況を表したものであり、取引がどこまで進んでいるのか直感的に把握できるようになっています。

データ取引の全体像

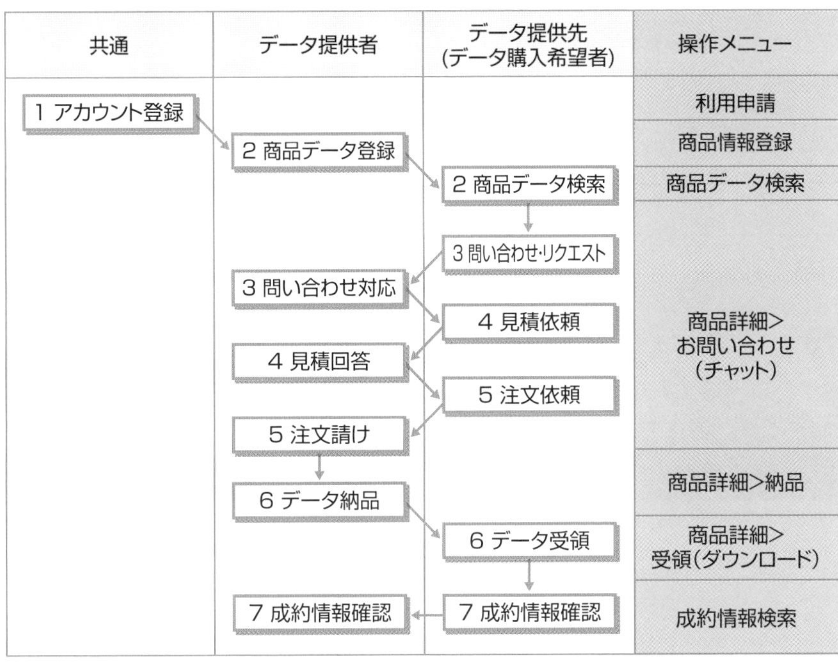

商談ステータス

申し込み	購入希望者から問い合わせを受けた状態
商談中	購入希望者への問い合わせまたはデータ要求に対し返答し、金額などの交渉をしている状態
注文済み	購入希望者がデータ提供者から提示される見積額に対し注文を確定した状態
提供待ち	注文が確定し、納品を行える状態
提供中	納品が完了した状態（商談が請求/支払い対象となった状態）
提供終了	納品データの提供が終了した状態
取り消し	商談が途中で中止された状態

利用約款への同意

EverySense Proの場合、データ提供者とデータ提供先の参加申請は共通メニューで行います。7-5で説明した通り、実際にはデータ提供者は同時にデータ提供先であることが多いと考えられるためです。

データ取引市場EverySense Proへデータ提供者またはデータ提供先（以下、利用者）が参加するには、「EverySense Proサービス利用約款」とプライバシーポリシーを理解し、同意する必要があります。「EverySense Proサービス利用約款」は、7-8で説明した「参加資格」に該当します。

EverySense Pro サービス利用約款

第1条　定義

本規約は、エブリセンスジャパン株式会社（以下「当社」といいます）が提供するサービス「EverySensePro」（以下「本サービス」といいます）をお客様（後述するデータ提供者、データ購入者を含みますが、これらに限られません）が利用する際に適用される基本的な規約です。お客様は、あらかじめ本規約に同意した上で、本サービスを利用するものとします。本サービスの利用の方法によっては、別途当社の利用規約（以下「個別利用規約」といいます）に同意して頂く場合がありますが、その場合、個別利用規約の効力は本規約に優先することとします。

▲EverySense Pro サービス利用約款

利用申請とパスワード設定

利用約款に同意の上、利用申請メニューから社名や業種など必要項目を記入して利用申請を行います。データ取引市場運営事業者は申請内容に基づき企業の存在確認や信用調査など所定の審査を実施します。審査の結果、データ取引市場運営事業者者の承認が下りると、EverySense Proのアカウントが発行され、サービスの利用を開始することができます。

申請承認後は、データ取引市場運営事業者から登録メールアドレス宛に登録完了通知が送信されます。メール本文には、取引者専用ログインIDと初期パスワードが記載されています。まずはそれを利用し、データ取引市場にログインします。

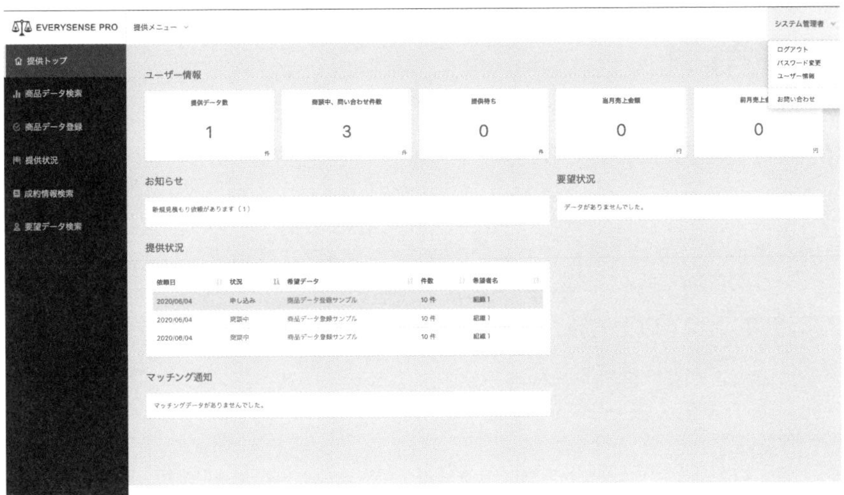

▲ダッシュボード画面

ユーザー情報やお知らせ

　ユーザー情報やEverySense Proからのお知らせは、メニュー上でいつでも確認できます。

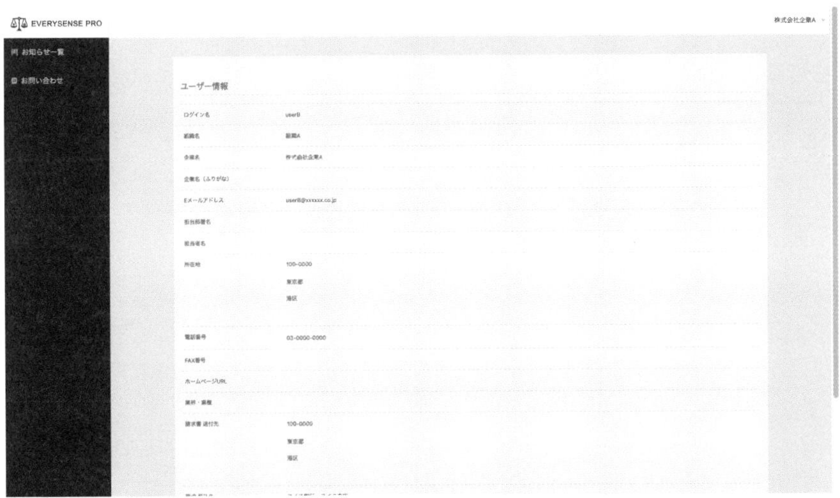

▲ユーザー情報確認画面

お問い合わせ

操作上の疑問やトラブルなどが生じた場合は、随時データ取引市場運営事業者に問い合わせることが可能です。

成約後のデータと対価の授受といった取引に関わるお問い合わせについては、データ取引市場運営事業者が当事者間の調停を行う場合もあります。ただし、取引データの内容や提供条件、価格などに関する照会は、このあと説明する利用者間の商談においてのみ実施され、データ取引市場運営事業者はデータ自体の収集・保持・加工・販売には関与しません。

▲お問い合わせ画面

決済システム（決済機能）

7-4で説明したデータ取引市場の機能②決済機能に該当する機能です。取引のトランザクションに応じて自動的にデータ提供者用の支払い情報とデータ提供先用の請求情報へ適用されます。データ授受の締日は毎月15日、請求締日は末日、支払い期限は、翌月の末日になっています。

データ購入者は受領義務が発生しますので、納品されたデータが商談で合意した内容と異なる場合は、データ提供者に対して再納品を求めることができる期間を設けています。

　データ購入者の注文確定に対して、データ提供者が請け処理を行うことで商談が成立し、データ提供者に納品義務が発生します。EverySense Proの売上計上は納品基準なので、データが納品されると請求計上対象になります。15日までに納品された分を当月分として末日に請求が確定します。

8-2 商品データの登録（仲介機能）

7-3で説明したデータ取引市場の仲介機能の実装には、データ提供者が保有するデータの概要などを利用者に知らせてデータ提供先がそれらを検索できる必要があります。第3章で説明したデータカタログを作成する手順といってもいいでしょう。

一口にデータと言っても、データの型やファイルの形式、そしてクレンジングなどの処理状態は様々に異なります。市場での取引の際に認識の齟齬や食い違いを防ぐため、市場に流通させる前に、自前のデータの性質を十分に把握した上で、それらを商品データ登録時に明確に説明する必要があります。

ダッシュボードの提供メニュー

EverySense Proの場合、下図のダッシュボードでユーザー情報（取引状況）やお知らせ、提供状況、マッチング、8-5で説明する要望などを確認できます。

各メニューの詳細はP.203の表で説明します。

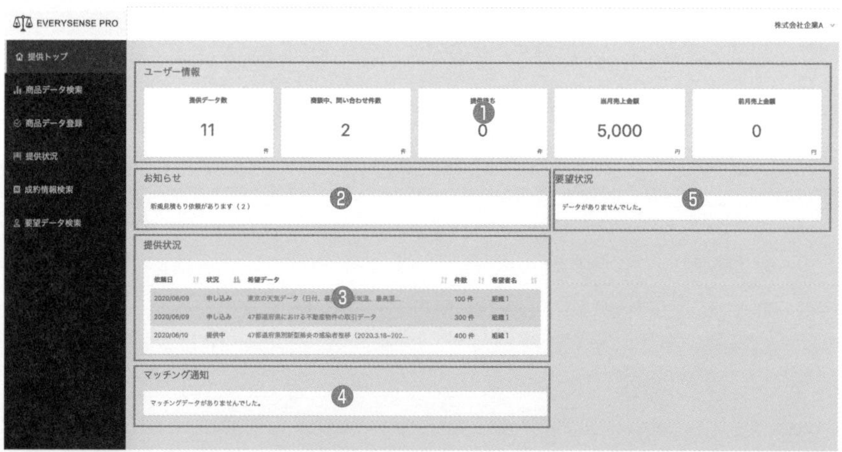

▲データ提供者ダッシュボード

①ユーザー情報 (取引状況)	●提供データ数 組織で共有する「商品データ」の件数 ●商談・問い合わせ件数 組織で共有する「商談」のうち、商談ステータスが「問い合わせ」「商談中」の件数 ※購入者から商品への問い合わせが来ているが、注文が確定していない状態 ●提供待ち 組織で共有する商談のうち、商談ステータスが「提供待ち」の件数 ※購入者から注文依頼が来ているが、提供するファイル(販売データのファイル)を納品(商談画面で登録)していない状態 ●当月売上金額/前月売上金額 ●組織の当月/前月売上金額
②お知らせ通知※	商談の成約通知や、サービス管理者からの「お知らせ」通知領域商談の成約通知をクリックすると「商談検索画面」へ サービス管理者からの「お知らせ」をクリックすると「お知らせ詳細画面」へ
③提供状況※	組織内で取り扱っている商談データの表示領域 クリックすると「商談詳細画面」へ
④マッチング通知※	組織内で取り扱っている商品データのうち、購入者が登録している要望データに該当しそうなものがある場合に通知 クリックすると「要望データ詳細画面」へ
⑤要望状況表示	システムに登録されている要望データのタグ(キーワード)の登録ランキングと比率を表示

※②③④の新規通知はメールでも通知されます。

商品データ登録

商品データ登録は、データ提供者としてデータを提供・販売しようとする際に必要な最初のステップです。商品データは、ナビゲーションの「商品データの登録」から登録できます。以下の図表は、データ提供者用のダッシュボードとその説明です。商品データを登録します。商品データの登録に必要な項目は、商品データ自体の情報、そのデータの提供条件の枠に分かれています。

各項目に対する説明をもとに、登録しようとしている商品データの情報、いわゆる「メタデータ*」（データに関するデータ）を入力する必要があります。また、EverySense Proでは商談開始前に極力商品への理解を促せるよう、商品データサンプルの添付を必須としていますので、ファイルをアップロードします。最後に確認ボタンを押すことで登録は完了し、データ取引市場データベースに反映されます。

＊ **メタデータ**：3-1を参照。

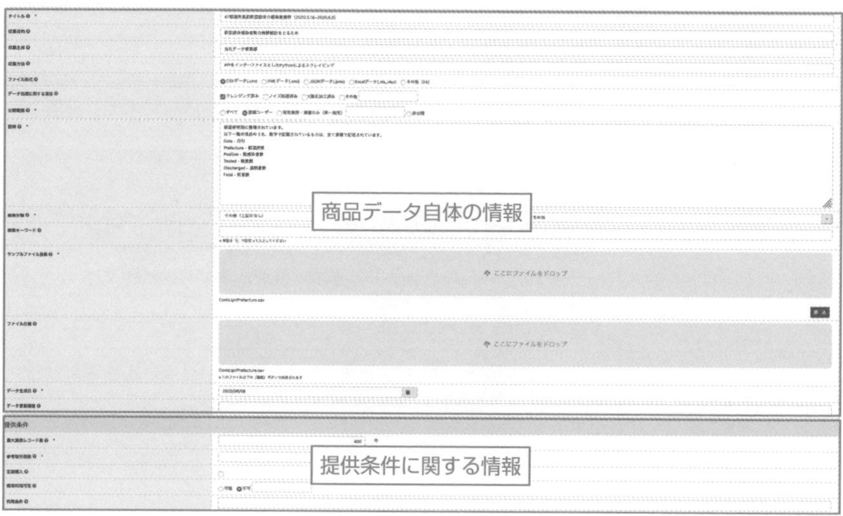

▲商品データ登録画面

商品データの公開範囲の設定

商品データ情報グループの枠の中に、「公開範囲」という項目があり、データ提供者の意思に基づいて、商品データを閲覧できるユーザーを特定できるようになっています。「公開範囲」の選択科目として「すべて」「登録ユーザー」「指定業界・業種のみ」「非公開」の4つが用意されています。

データ提供者がゲストを含むすべてのユーザーの閲覧を許可する場合は、「すべて」を、利用者登録されているユーザーのみへの閲覧を許可する場合は「登録ユーザー」を選択します。

また、商品データの閲覧対象者を特定の業界・業種へ限定したい場合、データ取引運営事業者がユーザーの属性等に応じて独自に定義している「業界・業種」を選択し、指定することで、閲覧可能なユーザーを制限できます。「非公開」は商品データの下書きとして活用できます。

タイトル *
47都道府県別新型肺炎の感染者推移（2020.3.18~2020.6.3）
収集目的
新型肺炎感染者数の推移統計をとるため
収集主体
当社データ事業部
収集方法
APIをインターファイスとしたPythonによるスクレイピング
ファイル形式
CSVデータ(.csv)　XMLデータ(.xml)　JSONデータ(.json)　Excelデータ(.xls,.xlsx)　その他（FA）
データ処理に関する項目
クレンジング済み　ノイズ処理済み　K匿名加工済み　その他
公開範囲 *
すべて　登録ユーザー　指定業界・業種のみ（単一指定）　非公開
説明 *
都道府県別に整理されています。
以下一覧の項目のうち、数字で記載されているものは、全て累積で記述されています。
Date - 日付
Prefecture - 都道府県
Positive - 新感染者数
Tested - 検査数
Discharged - 退院者数
Fatal - 死者数
産業分類 *
教育、学習支援、医療、福祉、複合サービス業
医療、福祉

▲商品データ記入例

商品データ登録の完了

必須記入項目と任意の各種項目を入力後、確認ボタンを押すと、確認画面が下部に表示されます。ここで、再度登録内容に誤りがないかを確認し、登録ボタンを押すことで、商品データ登録は完了です。

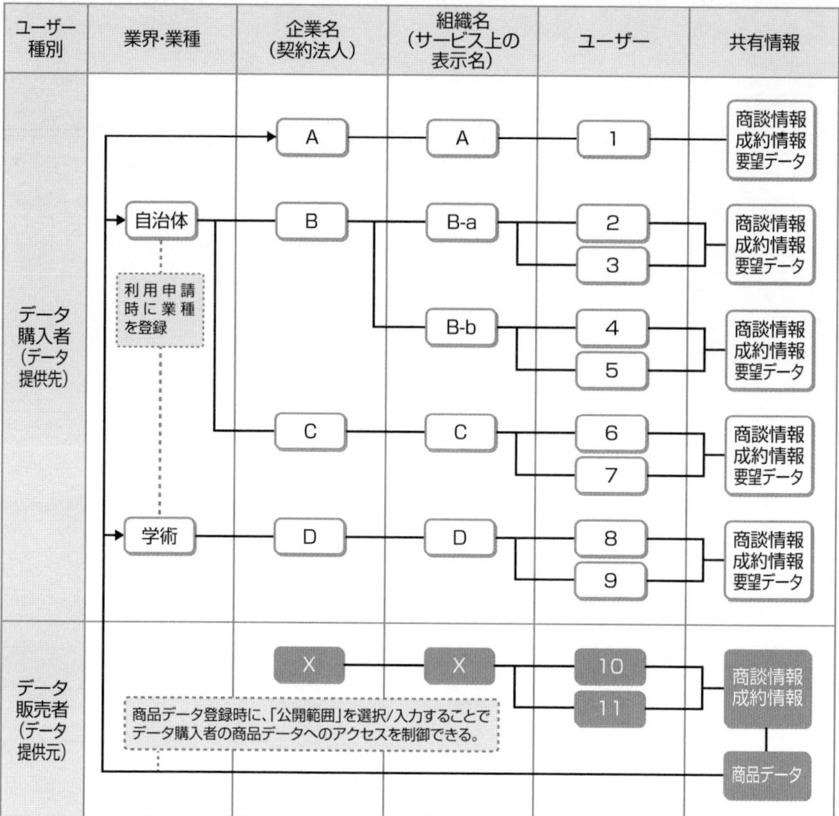
商品データ登録時における公開範囲の仕組み
ユーザー種別
業界・業種
企業名（契約法人）
組織名（サービス上の表示名）
ユーザー
共有情報
データ購入者（データ提供先）
自治体
利用申請時に業種を登録
学術
A
B
C
D
B-a
B-b
1
2
3
4
5
6
7
8
9
商談情報
成約情報
要望データ
データ販売者（データ提供元）
X
10
11
商談情報
成約情報
商品データ
商品データ登録時に、「公開範囲」を選択/入力することでデータ購入者の商品データへのアクセスを制御できる。

8-3 データ検索（仲介機能）

この節では、データ検索機能について解説します。データ提供先が7-3で説明した仲介機能を活用して、8-2で登録された商品データから入手したいデータを探すためのメニューです。本データ取引市場内で取引が可能なデータの一覧を見ることができ、2020年8月時点ではコンビニやスーパーにおける消費者のレシートデータ、IoT家電の稼働データなどが提供されています。

商品データ検索

商品データは簡単に検索できます。まず、左端のダッシュボードにある商品データ検索をクリックすることで、8-2でデータ提供者がデータ取引市場に登録した商品データのうち提供者によって閲覧が許可されたデータのリストを一覧できます。キーワードや産業分類などによる絞り込みも可能です。一覧表には、登録日、タイトル、説明の抜粋、産業分類、提供可能レコード数、および提供者名が表示されます。

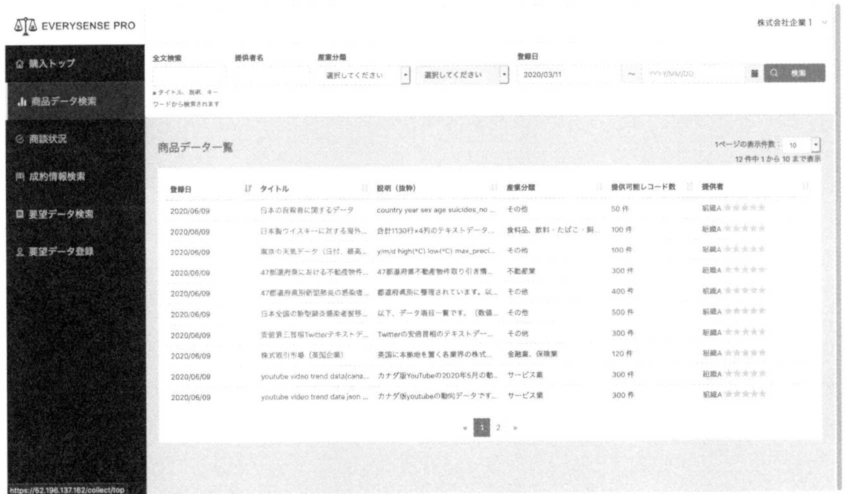

▲商品データ検索画面サンプル（実際に登録されている商品データ・提供者とは異なります）

より詳細な情報は各データのタイトルに含まれる商品データリンクから確認できます。また、商品データ詳細でサンプルデータを確認することもできます。

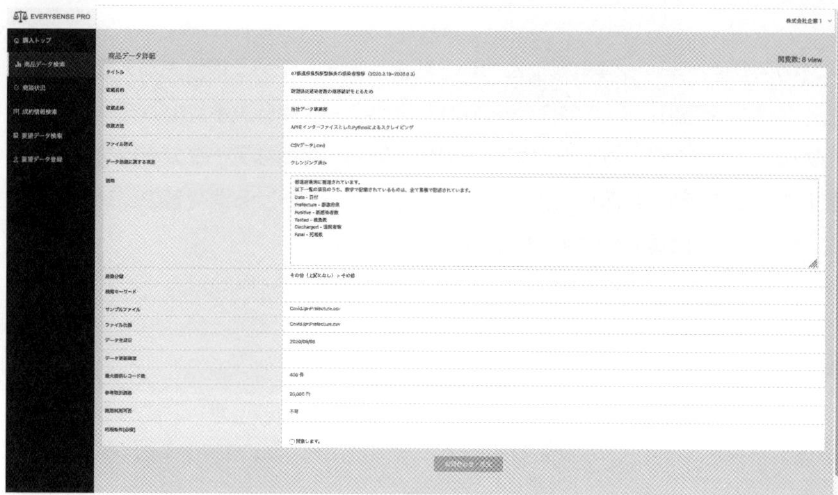

▲商品データ詳細

8-4 データ取引 ①商品データ登録済みデータの取引

8-4以降は、データの取引について解説していきます。この節では、最も一般的なデータ取引形態と想定される商品データ登録済みデータの取引を見ていきましょう。8-2で商品データが登録されていて、8-3のように検索できる状態の商品データの取引です。まだデータ取引市場に登録されていない商品の取引については、8-5で説明します。

データ提供者とデータ提供先(データ購入者)では取引の手順が異なるため、それぞれ別々の立場から取引の過程を追ってみることにします。

データ提供者

◆商談（照会・見積）・注文請け

データ購入希望者（データ提供先）が、登録済み商品データ詳細の内容と利用条件を確認し、「お問い合わせ・注文」ボタンをクリックすると商品データ提供者宛てにメッセージが送信されます。データ提供者は、届いた商談メッセージと詳細情報を「提供状況」から確認して、データ購入希望者と商談を開始することができます。

▲データ提供状況の確認

第8章 実践 データ取引

一覧の「取引No」から各商談内容の詳細を表示して、データ購入希望者との商談内容を確認・継続します。

詳細画面上では、データ購入希望者へのメッセージや見積情報（見積額、見積有効期限、見積条件）を登録します。データ提供者は必要事項を適宜入力し、確認ボタンを押すことで、見積情報を送信できます。

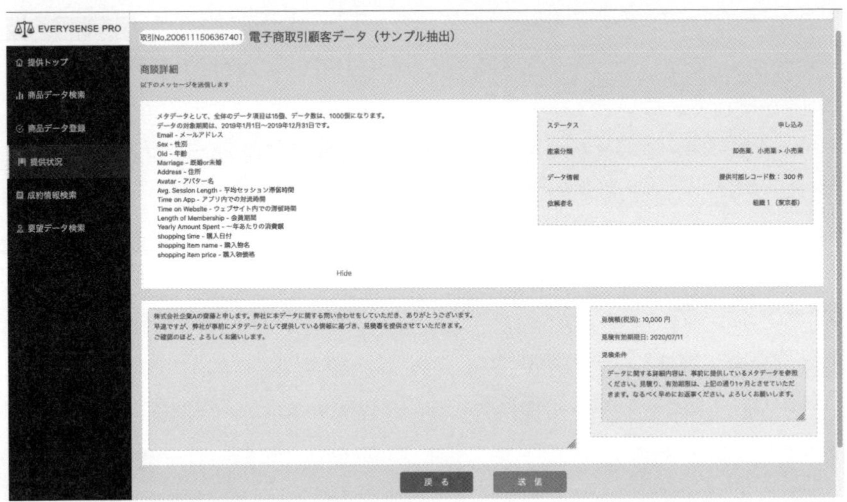

▲データ見積情報の送信

データ提供者が提示した見積額に対して、データ購入希望者が注文を確定すると、データ提供者の商談詳細画面に注文請けボタンが表示されます。注文請けボタンをクリックした時点で、7-4で説明したデータ取引の合意が成立します。データ提供者にはデータ提供の履行義務が、データ提供先にはデータ受領と対価の支払い義務が確定します。

もし提示した見積額で注文が成立せず、購入希望者が注文ボタンを実行しないままでいる場合、商談は継続されます。また、商談は、データ提供者とデータ購入希望者の合意に基づく注文が成立しない限り、いつでも取り消しすることができます。

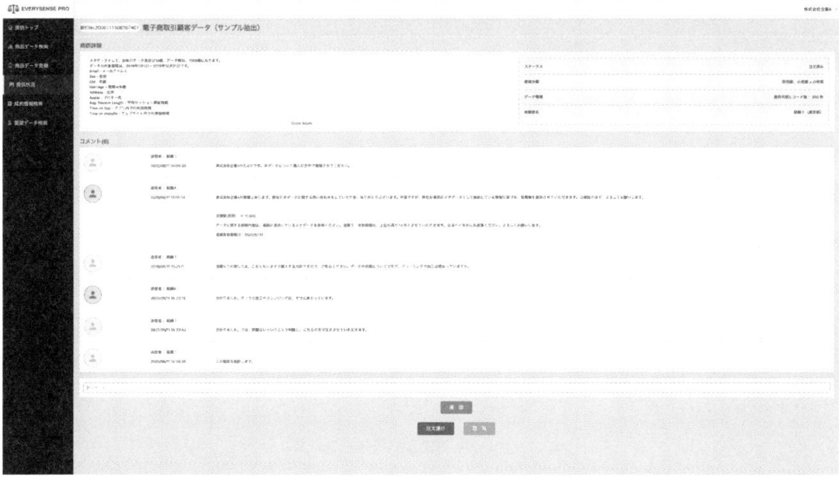

▲商談詳細画面で注文請け

◆納品

注文成立後、データ提供者は、データ取引市場EverySense Proを介してデータを納品します。納品は操作画面上から簡単に行うことができます。

データの納品が完了すると、商品詳細画面にデータのダウンロードリンク付きの商談履歴が追加され、データ購入者はそのリンクから納品データを受領することができます。同時に、商談ステータスが「提供中」となり、「成約情報検索」メニューからその状況が確認できるようになります。

重要なのは、注文が成立しデータ提供者が納品を行うまでは、データ取引市場には取引対象となるデータそのものは存在しないことです。また、データ取引市場運営事業者は、データ提供者とデータ提供先の商談成立とデータ授受の行為のみを把握し、商談の内容には関与しません。

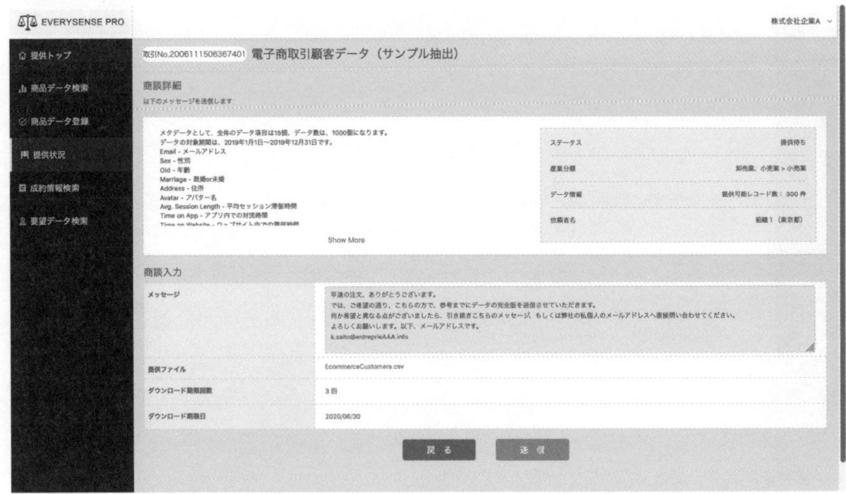

▲データの納品

◆対価の受領（決済）

データ取引市場運営事業者は、EverySense Pro利用約款に基づき、データ提供者先から徴収の有無にかかわらず、成約額から手数料を差し引いた額をデータ提供者に支払います。

▲納品の完了

データ提供先(データ購入者)

◆商談（照会・見積）・注文

データ購入希望者は、商品データ詳細の内容を確認し、利用条件に同意した上で、「お問い合わせ·注文」ボタンを押します。すると、商談ページが表示され、商品データの提供者に購入希望や条件などのメッセージを送信することができます。もしより詳細な情報を確認したい場合は、チャット形式でさらに問い合わせることができます。データ購入者が安心して自身のデータ利用目的やそれに合致するデータの質問や要望を伝え適当なデータを得られるためのコミュニケーション機能です。

▲データ提供者へのメッセージ送信

データ購入希望者の照会で商談が開始されると、データ提供者から、商品データに関する情報と照会内容に基づく見積内容がデータ購入希望者に提示されます。購入希望者が見積内容を確認し、双方が商談に合意した時点で、購入希望者の商談画面に注文ボタンが表示されるようになります。

注文ボタンを押す（発注決済）と、提供者の確認（受注決済）後に7-4で説明したデータ取引合意が成立します。データ提供者にはデータ提供の履行義務が、データ提供先にはデータ受領と対価の支払い義務が確定します。

なお、提示された見積金額や条件に対して応じられない場合は、引き続き商談を継続することも可能です。

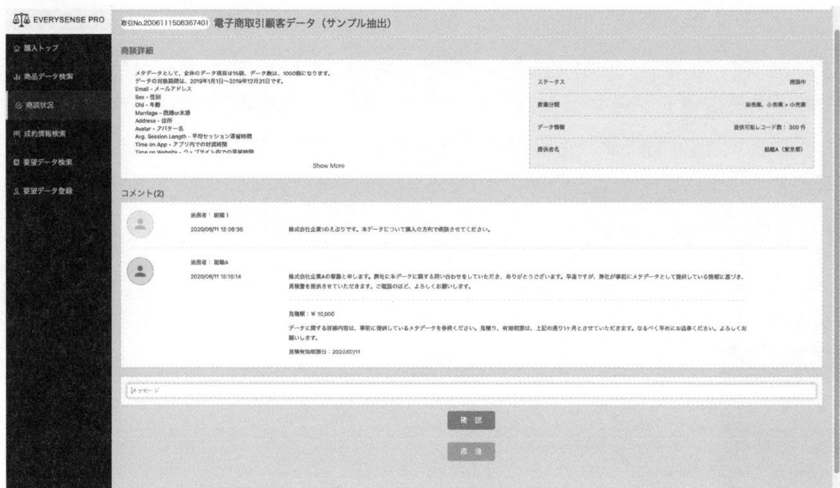

▲データ提供者とのチャット

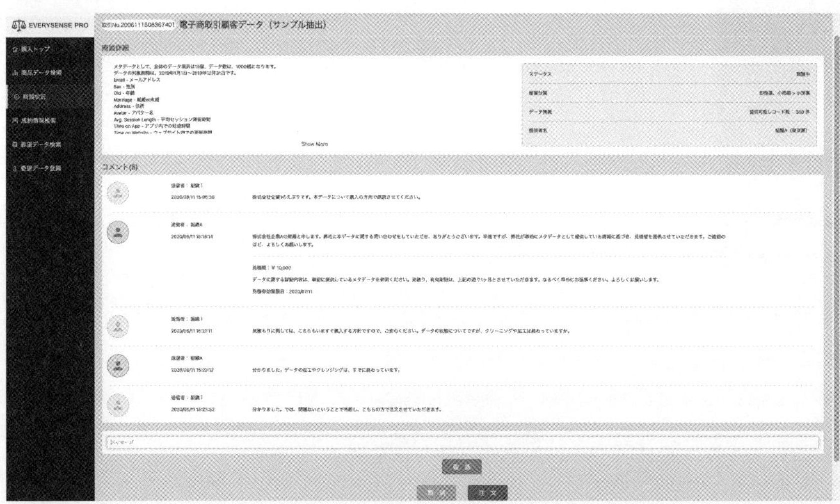

▲注文画面

◆受領と検収

　データ取引が確定し、データ提供者からデータが納品されると、商談詳細の画面上からデータを取得できるようになります。ここで最初に商談内で合意したデータ通りのものが納品されていることを確認します。納品されたデータに問題などがあれば、請求確定までの間、データ提供者に再納品を求めることも可能です。

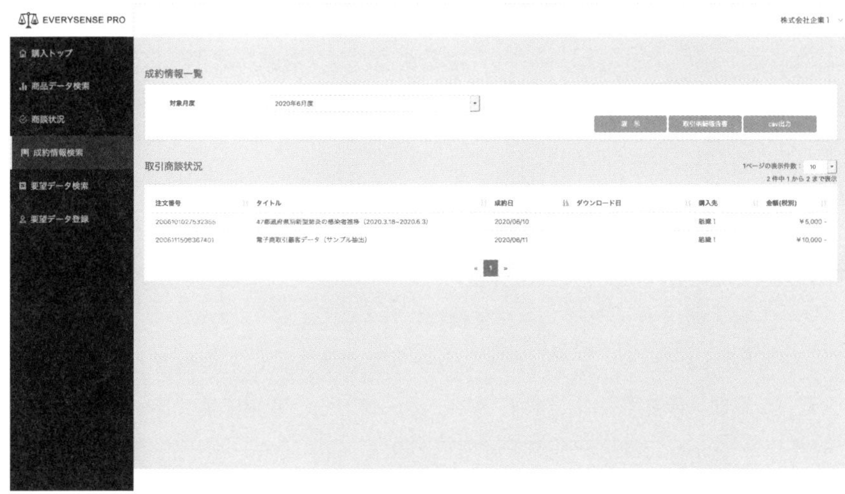

▲成約情報検索

◆対価の支払い（決済）

　成約情報検索の画面で、「成約情報一覧」にある対象年月度を指定し、「取引明細報告書」のボタンを押すと、市場運営者から発行される請求書をPDFで取得できます。支払い請求サイトは、約款を確認の上、データ取引市場運営事業者が指定する支払い方法に則り、支払いを行います。

8-5 データ取引②未登録データの取引（要望データ）

データ取引市場は成長の過程にあり、データ提供者から見てどのような商品に魅力があるのか、データ提供先にとってはどのようなデータがビジネスに有益であるのかといった市場ニーズもまた成長の過程にあります。そのため、市場参加者が提供可能なデータのすべてが、必ずしも8-2のプロセスを踏んだ「商品」として登録されているとは限りません。これを補う機能が、未登録データの取引を促す「要望」の仕組みです。

要望データ

データ購入希望者が商品データを検索しても欲しいデータが見つからないときに、購入したいデータに関する情報をデータ提供者に向けて発信する仕組みが要望データです。まだ商品化されていないデータでも、要望に基づきデータ提供者が要望データ相当の商品データを追加できれば、商談機会の創出や、購入者のデータ利活用に寄与できます。

データ購入希望者は、必要なデータの要件を要望データ登録画面に記載し、投稿します。入力項目は8-2でデータ提供者が登録する商品データの項目とほぼ同じで、タイトル、ファイル形式、必要なレコード数や予算、説明などを記載します。入力終了後確認ボタンをクリックすると完了です。

また、登録済みの要望データを変更もしくは削除したい場合は、登録済みの要望データ詳細を開き、変更する場合は、該当箇所を変更後、確認ボタンを押すと完了します。また、削除したい場合は、削除ボタンを押すと完了です。

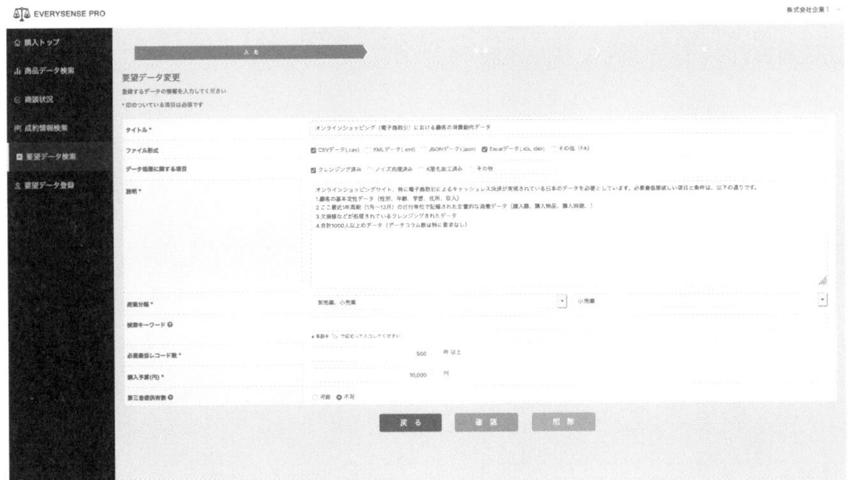

▲要望データ登録・変更

要望データ検索

データ購入希望者は、市場にいる不特定多数のデータ提供者に対して、自分が今必要としているデータがどのようなものなのかを登録し、公開できます。データ提供者は、要望データに基づき、データ購入希望者へ保有データを提案することができます。要望に合わせて新たに商品を開発するケース、商品データ登録済みのデータをあらためて提案するケースの両方が考えられます。こうして、商品化されていないデータを求めるデータ提供先と、欲しいデータを所有している市場参加者との仲介を行います。

要望データは、EverySense Proにデータ提供者として登録されている企業が市場ニーズを確認し、ニーズに合致するデータを新たな商品データとして追加することを期待する仕組みです。ただし、データ提供先が排他的に購入したい（商品化を希望しない）など、特定条件下でのみ商品としてデータ提供するといった、商談成立後に商品データとして登録されないケースも考えられます。

商談成立、成立後の納品、決済の流れは、8-4のケースと同様です。データ提供先が発注し、データ提供者が発注を請けた時点で、7-4で説明したデータ取引の合意が成立します。データ提供者にはデータ提供の履行義務が、データ提供先にはデータ受領と対価の支払い義務が確定します。この場合も、データ取引市場運営事業者は交渉に関与しません。

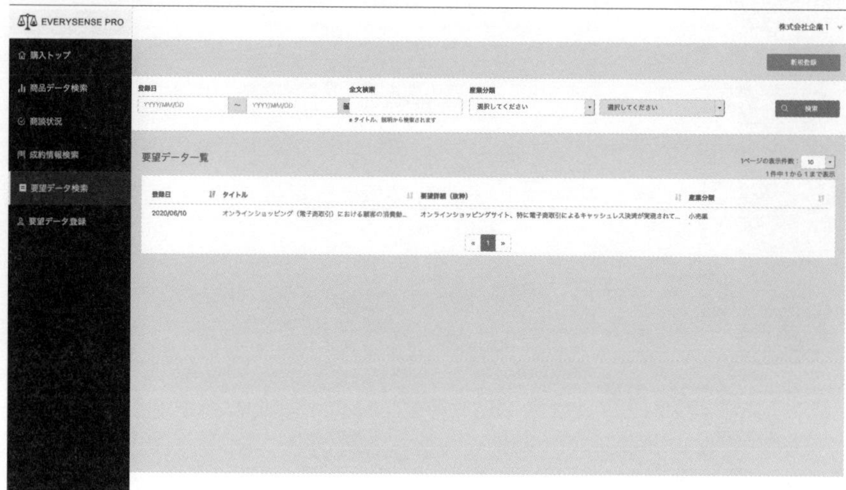

▲要望データ検索

8-6
評価

データ取引市場EverySense Proの場合、健全な市場育成と参加者の相互信頼を目的とした相互評価システムを提供しています。

評価

商談が成立すると、データ提供者はデータ購入者に対し、データ購入者はデータ提供者に対し、評価を登録できるようになります。ダッシュボードから提供状況を選択し、商談状況のリストに表示される星付きの吹き出しマークをクリックすると、評価入力画面になります。そこで、評価とコメントを入力し、確認ボタンを押すと、完了です。その後、提供者が登録した評価の数を平均して、購入者名などに表示される評価表示に反映されていきます。

データ取引における信用度がそのまま反映されるようになっているため、データの質や取引のスムーズさを保証してくれる指数として参考にできます。

▲評価入力画面

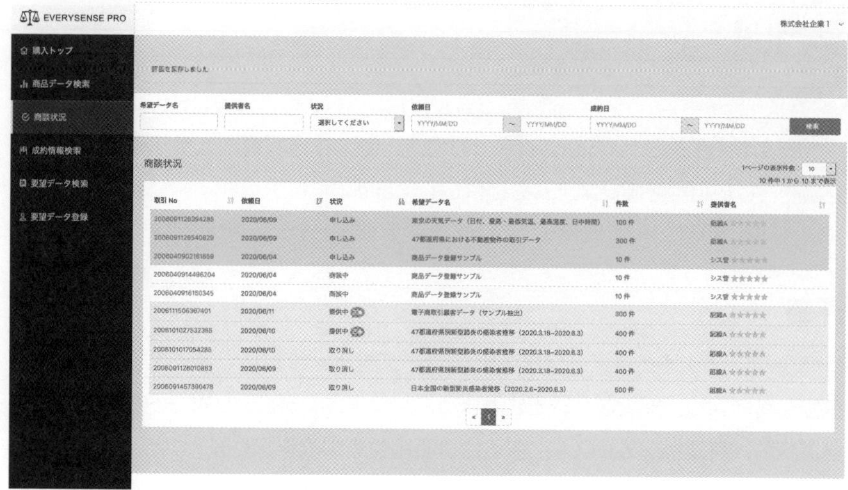

▲最新の評価が反映された商品データ検索画面サンプル（実際に登録されている商品データ・提供者とは異なります）

データ流通ビジネスの課題と展望

ここまで見てきた通り、データ活用に関する技術環境やデータ取引市場のルールは整いつつあり、「データ流通」は新たなステージを迎えています。他方、データが「信頼」とともに流通し活用される社会の実現には、様々な課題も浮上しています。

第９章ではパーソナルデータと産業データの活用に関する課題を示します。そうした課題をふまえ、データ流通ビジネスのもたらす価値について、個人と社会が「信頼」とともに合意できるための技術について解説します。

9-1

パーソナルデータ流通の課題

最初に、パーソナルデータ流通に関する課題をとりあげます。日本では特に消費者の不安感が強いのですが､不安をもたらす要因はどんなことでしょう。そしてデータを扱うビジネスは何ができるでしょうか。

パーソナルデータ活用に対する消費者の不安

パーソナルデータの流通の最大の課題は、自身のデータを活用されることに対する消費者の不安や不満の解消です。パーソナルデータ利活用に対する生活者の意識の変化、IoTやAIの進展による利活用方法の多様化により、企業はプライバシーに配慮し、適切にパーソナルデータを取り扱うことが特に重要な課題となっています。

図は、パーソナルデータの提供に対する消費者の不安感に関する、国別の比較です。アジア諸国は欧米と比べ、相対的に「不安に感じる」比率が高く、中でも日本は「とても不安を感じる」比率が圧倒的に高い状況です。

他の調査では、パーソナルデータについて「活用への期待」と「リスクに対する不安」を比較していますが、日本の消費者は「不安が期待を大きく上回る」という結果となっています。また、企業とデータを共有してもよいと考えている消費者も、その企業が第三者とデータを共有するとなると、その半数以上は意見を変えるという調査報告もあります。

パーソナルデータの「流通」ビジネスは、消費者の不安の解消が前提となるビジネスなのです。

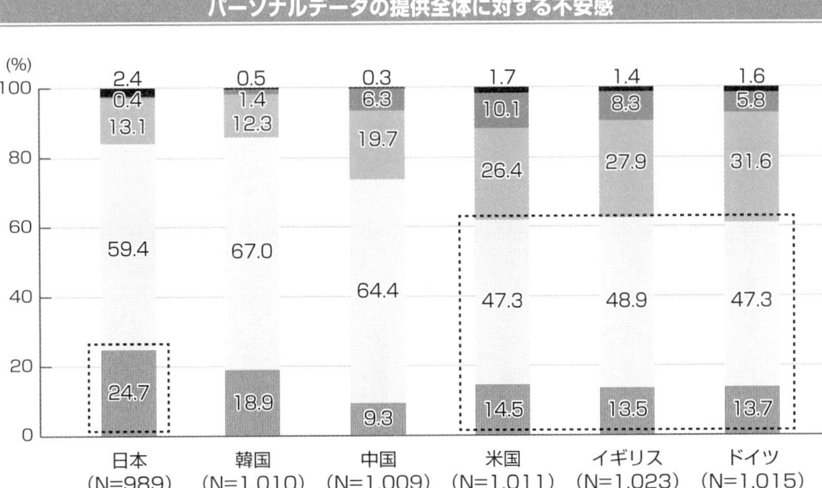

とても不安を感じる　やや不安を感じる　あまり不安を感じない
まったく不安を感じない　よくわからない

出典:『平成29年版情報通信白書』(総務省)「安心・安全なデータ流通・利活用に関する調査研究」(総務省、平成29年)

消費者の不安の理由と企業に求められる対応

P.224図の消費者が不安を覚える理由についての調査では、「活用されたくない場合にも拒否できない」「活用に関する説明が十分でない、わかりにくい」「異なる目的で活用されているのではないか不安」に回答が集中しています。

ではこのように、世界的に見ても不安を抱いている日本の消費者に対し、企業はどう対応すればよいのでしょうか。不安を覚える理由からも、情報漏洩への対策や個人情報保護法の順守に留まらず、個人が自身のパーソナルデータの利活用について自ら決定できることや、個人が不安や違和感を覚えないといった、個人に寄り添った活用をすることが重要です。目的や活用方法に関し丁寧な説明を行い、個人や社会からのコンセンサスの醸成のため、常に広く情報発信を行い、フィードバックを得ながら改善していく姿勢も求められます。これらを通し獲得した「信頼」が、むしろ差別化要素として自社サービスの競争力となるのです。

パーソナルデータのビッグデータ利活用に関して消費者が不安を覚える主な理由

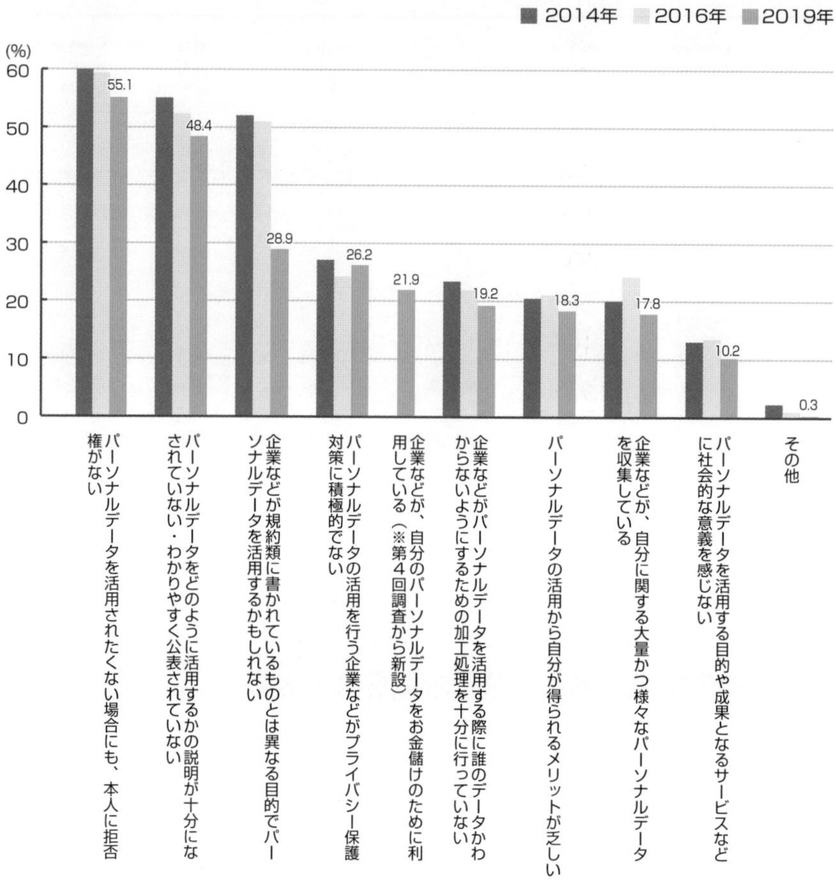

(%)
60
50
40
30
20
10
0

	2019年
パーソナルデータを活用されたくない場合にも、本人に拒否権がない	55.1
パーソナルデータをどのように活用するかの説明が十分になされていない・わかりやすく公表されていない	48.4
企業などが規約類に書かれているものとは異なる目的でパーソナルデータを活用するかもしれない	28.9
パーソナルデータの活用を行う企業などがプライバシー保護対策に積極的でない	26.2
企業などが、自分のパーソナルデータをお金儲けのために利用している（※第４回調査から新設）	21.9
企業などがパーソナルデータを活用する際に誰のデータかわからないようにするための加工処理を十分に行っていない	19.2
パーソナルデータの活用から自分が得られるメリットが乏しい	18.3
企業などが、自分に関する大量かつ様々なパーソナルデータを収集している	17.8
パーソナルデータを活用する目的や成果となるサービスなどに社会的な意義を感じない	10.2
その他	0.3

出典：「第四回 ビッグデータで取り扱う生活者情報に関する意識調査」（株式会社日立製作所、株式会社博報堂、2019年）

9-2

産業データ流通の課題

個人に関わらない産業データの流通や活用も、日本は他国と比べて遅れています。海外各国にも共通する課題と日本独特の課題を概観した上、解決へ向けたヒントを示します。

産業データの流通に関する課題と対応

P.226図の企業におけるサービス開発・提供などにおける「産業データ」の活用状況の調査からも、日本企業は他国と比べて活用が遅れている傾向が明確に表れています。

利活用における各国共通の課題は、データの「収集・管理に係るコスト増大」となります。これに関しては、情報を公開・交換するためのデータ資産の棚卸の手法である「データカタログ*」の整備、IMI共通語彙基盤*や「推奨データセット*」をはじめとする具体的なフォーマットの整備などが進められています。

「個人データとの線引きが不明瞭」という点も各国共通の課題です。コネクテッドカーから取得される運転状況やスマートホームの稼働状況など、産業データとパーソナルデータが不可分なサービスも数多く見られます。これらは単体では個人情報とは定義されないとしても、他の情報との組み合わせなどによって事後的に個人が特定される場合などがあり、特にデータ流通に際しては慎重な検討と配慮が必要です。

また、P.227の図の通り、日本が他国と比較して突出して問題視しているのは「収集データの利活用方法の欠如、費用対効果が不明瞭」と「データを取り扱う人材の不足」という2点です。これらは、「データを集めること」が企業の目的となってしまっていることが背景にあるのではないでしょうか。まずは企業として「顧客にどのような価値を提供したいのか」、「どのような課題をいつまでに解決する必要があるか」といった具体的な目的を明確化した上で、どのようなデータを、どの程度集め、どのように分析・活用すればよいかを考えることが重要です。

＊**データカタログ**：3-7、3-19を参照。

＊**IMI共通語彙基盤**：3-12を参照。

＊**推奨データセット**：オープンデータ公開とその利活用促進を目的に、政府として公開を推奨するデータセット。「政府CIOポータル」に公開されている。

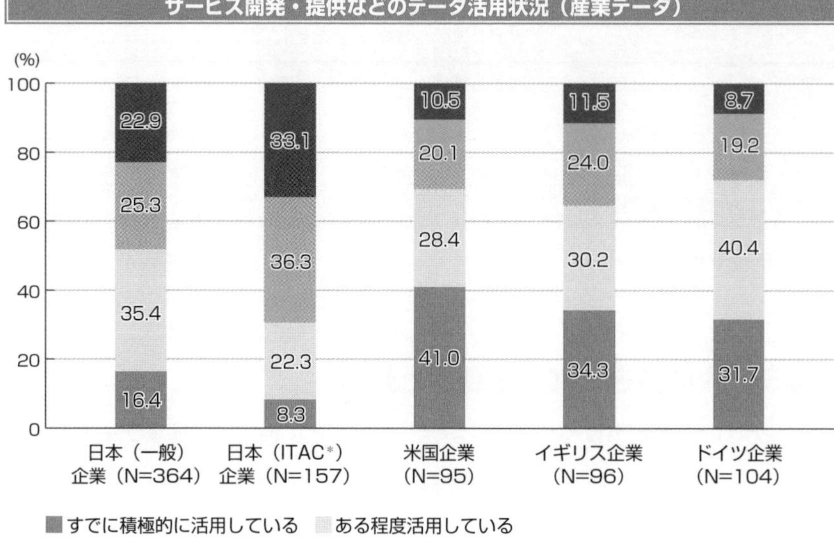

出典：『平成29年版情報通信白書』（総務省）「安心・安全なデータ流通・利活用に関する調査研究」（総務省、平成29年）

企業間のデータ流通の活性化に向けて

企業間のデータ流通の課題としては、法制度の枠組みがないことへの指摘もあり、企業間のデータの流通取引に関する契約ガイドラインの策定、データの不正取得や利用を防止する不正競争防止法の改正など国による制度整備も進められています。しかし、日本において企業間のデータ流通が進みにくい根底には、競合他社などに自社データを知られたくないことを理由として、自社データを囲い込む傾向が強い点が指摘されています。

この囲い込み構造からの脱却は容易ではありませんが、自らもデータを提供する代わりに、他社のデータにアクセスできるようにすることで、マーケットの拡大やバリューチェーンの全体最適といった効果を目指す「データ協調戦略」を志向することが求められます。

また、これら課題への対応は、現場だけの対応では限界があり、データを活用した新しいビジネスモデルへの転換に向け、経営としてこの課題に向き合うことが

＊ITAC：民間団体である一般社団法人 IoT推進コンソーシアム（ITAC）会員の回答。次ページの図も同じ。

重要です。そのためには、国が発行した「DX推進ガイドライン*」や「DX推進指標*」などを参考に、人材、組織や事業開発プロセスを見直すことも必要です。

(%)

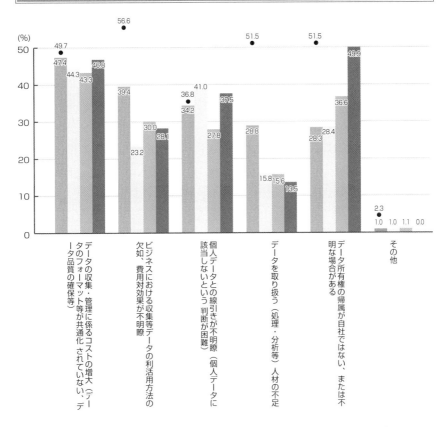

	日本（一般）企業（N=378）	米国企業（N=378）	イギリス企業（N=90）	ドイツ企業（N=96）	日本（ITAC）企業（N=173）
データの収集・管理に係るコストの増大（データのフォーマット等が共通化されていない、データ品質の確保等）	47.4	44.3	43.3	46.8	49.7
ビジネスにおける収集等データの利活用方法の欠如、費用対効果が不明瞭	39.4	23.2	30.0	28.1	56.6
個人データとの線引きが不明瞭（個人データに該当しないという判断が困難）	34.2	41.0	27.8	37.5	36.8
データを取り扱う（処理・分析等）人材の不足	28.8	15.8	15.6	13.5	51.5
データ所有権の帰属が自社ではない、または不明な場合がある	28.3	28.4	36.6	49.9	51.5
その他	1.0	1.0	1.1	0.0	2.3

出典:『平成29年版情報通信白書』(総務省)「安心・安全なデータ流通・利活用に関する調査研究」(総務省、平成29年)

＊**DX推進ガイドライン**：「デジタルトランスフォーメーションを推進するためのガイドライン」。経営者やステークホルダーが企業等のデジタルトランスフォーメーション(DX)の取り組み状況を確認することを目的に2018年12月に公表された。

＊**DX推進指標**：「デジタル経営改革のための評価指標」。企業などがDX推進の自己診断を行うための指標。

9-3 安全で信頼できる仕組みを支える技術

データ流通を安全に行い、事業者や個人から信頼されるには、セキュリティやプライバシーに関する技術も必要です。本節では、代表的な技術として、k-匿名化、秘密計算、差分プライバシーについて説明します。

k-匿名化

k-匿名化とは、複数の個人データが記載された表形式のデータを、個人をk人以下に特定されないように加工する技術です。例えば、P.229上の図は、病院の患者データをk=2でk-匿名化する例です。左の表は、単に氏名を削除しただけであり、一見すると誰のレコードかわかりません。しかし、Aさんを知る人であれば、Aさんは男性75歳で郵便番号が123-4891であることを知っているため、この表の2行目がAさんであると推定でき、結果、Aさんが知られたくないHIVという病名を知ってしまう恐れがあります。

そこで、右の表のように、年齢と性別と郵便番号からレコードが1行に特定できないように加工を行います。これにより、Aさんのレコードが1行目か2行目かわからなくなるため、Aさんの病気の特定は困難となります。このように、属性の組み合わせから、k行以上にレコードを特定されない状態をk-匿名性を満たすといい、k-匿名性を満たすように加工することをk-匿名化といいます。

k-匿名化によってプライバシーを保護したデータは他の事業者へ提供できますが、データを加工したことによって、分析結果に影響が出ます。そのため、必要最小限の加工にとどめることが重要です。また、個人情報保護法が定める「匿名加工情報」にはk-匿名化は必須ではありませんが、個人情報保護委員会が発行する事務局レポート*では、必要に応じて取り入れることが望ましいとされています。

***個人情報保護委員会事務局レポート**：匿名加工情報「パーソナルデータの利活用促進と消費者の信頼性確保の両立に向けて」(2017年2月)https://www.ppc.go.jp/files/pdf/report_office.pdf

k-匿名化の処理の例

氏名を削除したデータ

年齢	性別	郵便番号	病気
55	男	123-4567	風邪
75	男	123-4891	HIV
35	女	123-4567	風邪
48	女	123-8765	ガン

Aさんの年齢・性別・郵便番号を知っていると、Aさんのレコードが推定され、病気が知られる恐れ

k-匿名化

2-匿名化したデータ

年齢	性別	郵便番号	病気	
55-75	男	123-XXXX	風邪	k=2
55-75	男	123-XXXX	HIV	
35-50	女	12X-XXXX	風邪	k=2
35-50	女	12X-XXXX	ガン	

年齢・性別・郵便番号の組み合わせからレコードを特定できず、Aさんのレコード特定が防げる

秘密計算技術

秘密計算とは、データを暗号化したまま、暗号を解かずに処理できる技術であり、複数の事業者が持つデータを安全に結合分析することが可能です。例えば下の図のように、病院が持つカルテデータとゲノムバンクが持つゲノム情報を、暗号化したまま結合・分析し、病気とゲノムの相関結果のみを開示することが可能となります。つまり、元のデータは外部には公開されることなく、安全に組織間での結合分析が可能となります。

秘密計算を用いた組織間でのデータ分析の例

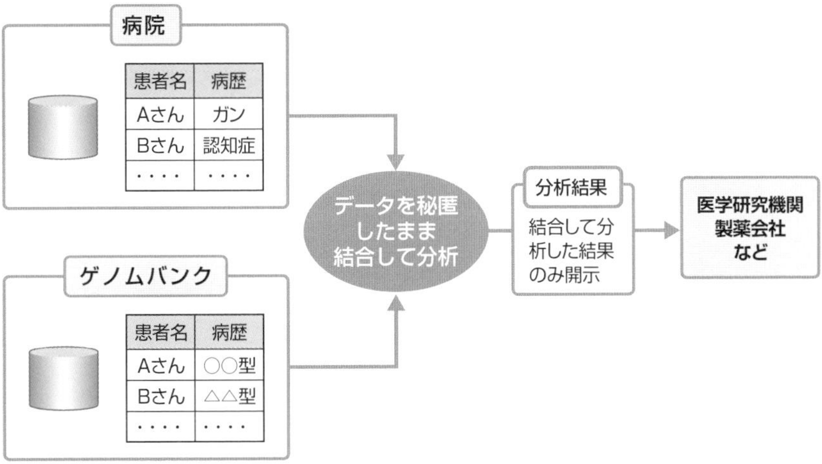

病院

患者名	病歴
Aさん	ガン
Bさん	認知症
・・・・	・・・・

ゲノムバンク

患者名	病歴
Aさん	○○型
Bさん	△△型
・・・・	・・・・

データを秘匿したまま結合して分析

分析結果
結合して分析した結果のみ開示

医学研究機関
製薬会社
など

秘密計算は、匿名化とは異なりデータを曖昧に加工することもないため、分析結果には影響はありません。一方、比較的処理速度が遅いなどの制限があるため、適したユースケースを見極める必要があります。

差分プライバシー技術

差分プライバシーとは、分析結果などにノイズを入れることで、複数の分析結果の差からのプライバシー侵害を防ぐ技術です。

例えば、ある企業が社員の平均年収を開示しても、一般的には個人のプライバシーの侵害にはなりません。しかし例えば、Aさんが入社する前と入社した後とで、その企業の平均年収の差を計算すると、Aさんの年収を推定できてしまいます。そこで、下の図のように、統計処理を行なった結果に対して必要最低限なノイズを入れることで、Aさんの年収の推定を防ぐことができます。差分プライバシーは、統計情報の差から個人情報が推定できないように、必要最小限にノイズを入れる技術です。

差分プライバシーの例

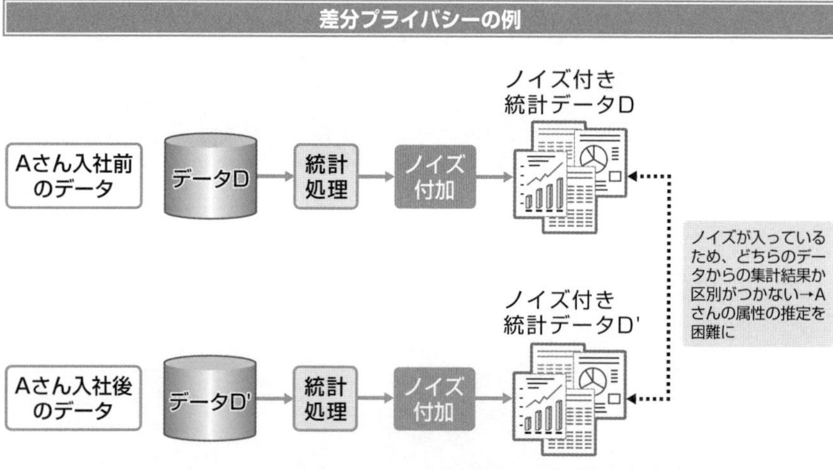

9-4 データ流通における安全や信頼を支える技術（トラストサービス）

データ流通ビジネスにおいては、その前提となるデータの真正性やデータ流通の仕組みの信頼性を確保することが極めて大切です。そのために、インターネット上における人・組織・データなどの正当性を確認し、改ざんや送信元のなりすましなどを防止する仕組みが「トラストサービス」です。

トラストサービスの例

これからのビジネスは、実空間とサイバー空間が高度に融合し、実空間で紙や対面で行われているやりとりが、どんどんサイバー空間に置き換えられていきます。しかし、今まで紙や対面では当たり前に行ってきた行為が、サイバー空間では実現できないという事態はまだまだ存在します。また、人間が文書を作り、それにサインをしたり、判子を押したりして送付するのではなく、IoT機器がデータを生み出しネットワークを経由して流通させるケースも想定しなければなりません。とあるセンサーから送られてきているデータが、実は別のセンサーから送られているといった事態があったとすれば、信頼あるデータ流通や活用はままなりません。

では、これら課題に対応すべきトラストサービスの例を次に紹介します。

◆電子署名

電子データを作成した本人として、人の正当性を確認できる仕組み。従来は紙で行っている押印などの仕組みを電子的に実現し、「その文書は確かに×さんが作成した」ことを証明するものです。

電子署名法*により、電子署名が付されていれば、その文書は真正に成立していると推定されることが認められており、日本においても普及している技術といえます。

＊**電子署名法**：「電子署名及び認証業務に関する法律」。

◆タイムスタンプ

電子データがある時刻に存在し、その時刻以降に当該データが改ざんされていないことを証明する仕組み。現在は、データだけで保存するのは不安という理由で紙も保存することが多いですが、タイムスタンプを用いると紙を残さずに長期的な保存が可能となり、保存コストなどを含めた効率化が期待されます。

◆eシール

電子データを発行した組織として、組織の正当性を確認できる仕組み。請求書を発行する場合に、会社の代表者印ではなく、いわゆる角印を押していることが多いと思いますが、それをサイバーの世界で実現する仕組みのことで、より簡便な手続きができるという点で期待されています。

◆モノの正当性の認証

IoT時代に各種センサーから送信されるデータのなりすまし防止などのため、モノの正当性を確認できる仕組み。

◆eデリバリー

送信・受信の正当性や送受信されるデータの完全性の確保を実現する仕組み。紙の世界での書留郵便に当たるようなサービスで、送信元が誰で、いつ送り、いつ相手に届いたのかが確認されるような仕組みです。フィッシング詐欺やマルウェア配布を防止することにもつながると考えられています。

EUでは「eIDAS規則」として法制化

トラストサービスの活用により、税務書類の紙による保存コストの低減、契約に係る手続の一連の業務の効率化、請求・支払い業務の電子での一括処理など、さまざまな場面でのデータ活用や効果が考えられます。新型コロナ対策において、押印が必要な手続きが在宅勤務の課題として指摘されましたが、このような新たな働き方の実現にとっても重要な役割を担います。

EUではデジタル・シングル・マーケットを創設するために、その基盤を支えるための包括的なトラストサービスについて、「eIDAS規則*」として法制化されて

*eIDAS規則：Electronic Identification and Trust Services Regulation。全EU加盟国に適用される単一の標準化された規則。電子個体識別と電子サインの認識方法に関する一貫した法的フレームワークを提供する。

います。一方で、日本では電子署名を除いた他のトラストサービスは制度上の位置付けがないため、普及のために認定制度など法的な整備が進められています。

各種トラストサービスの概況

①電子署名	・電子署名法（電子署名及び認証業務に関する法律）は2001年4月に施行。一定条件を満たす電子署名の付与により電子文書が真正に成立したものと解釈する。 ・電子署名法に基づく認定認証事業者から発行された電子証明書数は2018年度で35万枚 ・リモート署名の利用の進展
②タイムスタンプ	・データ通信協会による民間の認定スキームの下、タイムスタンプ事業者がサービスを提供 ・電子帳簿保存法で領収書・請求書などの保存に関する位置づけ ・長期保存のため、電子署名とタイムスタンプを組み合わせた「長期署名」に期待
③eシール	・電子文書などが法人により発行されたことを示すもの ・請求書･領収書などの電子的な処理において簡便に付与できることへの期待 ・インボイス制度導入後は、電子インボイスへの活用が期待
④ウェブサイト認証	・ウェブサイトが正当な企業などにより開設されたものであるかを確認する仕組み 電子証明書を使った通信の安全性、利便性の向上のための基準等を検討する「CA/ブラウザフォーラム」で、ウェブサイト認証のための電子証明書を発行する認証事業者に求められる基準を議論
⑤モノの正当性の認証	・IoT機器の急速な普及に伴い、モノから発信されるデータの正当性確保の重要性が増大
⑥eデリバリー	・データの送受信の照明を含め、データ送信の取り扱いに関する証拠を提供（電子的な書留）

9-5 ビジネスに求められる姿勢と取り組み

データ流通ビジネスにとって、プライバシー担保やトラストサービスなどの技術は必要条件ですが、十分条件とは限りません。企業はどう個人と市場、社会と信頼関係を築き、維持していけるでしょうか。

プライバシーガバナンス

データ流通ビジネスは、消費者個人の権利や利益を守り、個人と市場から信頼を確保し維持しなければなりません。プライバシーをはじめとするデータ保護を法令遵守にとどめることなく、消費者や市場とのコミュニケーション能力として経営に取り込み、信頼を競争優位に育む継続的な営みが求められます。

例えば、プライバシーに関わる問題を重要な経営上の課題として捉え、コーポレートガバナンスとそれを支える内部統制の仕組みを企業内に構築・運用していく取り組みは「プライバシーガバナンス」として注目されつつあります。

2020年7月には、経済産業省と総務省がIoT推進コンソーシアム データ流通促進ワーキンググループの下に設置した企業のプライバシーガバナンスモデル検討会によりまとめられた「DX企業のプライバシーガバナンスガイドブックver1.0（案）」が公表されました。Society 5.0におけるDX企業の役割とプライバシーの考え方、プライバシーガバナンスの重要性を前提に、P.235図の新規ビジネス創造にあたって経営者が取り組むべき3つの要件や重要事項などが示されています。

プライバシーガバナンスとは

プライバシーガバナンス

プライバシー問題を重要な経営上の課題として捉え、コーポレートガバナンスとそれを支える内部統制の仕組みを企業内に構築・運用すること

要件1：プライバシーガバナンスに係る姿勢の明文化
要件2：プライバシー保護責任者の指名
要件3：プライバシーへの取り組みに対するリソース投入

プライバシー・バイ・デザインに基づくリスク管理

消費者を含めた様々なステークホルダーとのコミュニケーション

アカウンタビリティ：説明し、それを証明し、間違いがあれば責任を取ること
コンプライ＆エクスプレイン：法令遵守とそれ以上の対応について説明すること

出典：第94回JIPDECセミナー（2020年5月28日）講演資料「日本におけるこれからの データプライバシー」（一般財団法人日本情報経済社会推進協会 主席研究員 寺田眞治）

変化する技術と社会受容性

データ流通・活用にまつわるサービスや技術と同様、データ流通における安全と信頼を支えるトラストサービスと関連技術は、今後も進化が見込まれます。それでも、特にパーソナルデータの扱いに関するリスクを完全に退け続けることは難しいと捉えるのが現実的です。取得可能なデータの増加と多様化が見込まれる中、同意や保護などデータ自体の扱いに関する施策もあれば、AIアルゴリズムなどデータ処理にまつわる安全性や適切性など、信頼の構築・維持に必要な取り組みは多岐にわたり、完璧や完了はありません。

他方、データ活用に対する消費者や社会の受容性もまた変化を続けます。4-6で触れたように、「普段はイヤ」でも新たな旅行体験の提案を目的としたデータ活用は歓迎されています。あるいは防疫のような社会貢献の文脈ならば不安や抵抗

感が薄れる場合や、「自分で簡単に管理できる」条件の下ならば許容できる場合もあります。「プライバシー」が意味するところも、文脈や時勢により変化し得ることを前提にする必要があります。

リスク範囲の適切な理解と体制構築

パーソナルデータ流通・活用にまつわるリスクは、消費者個人の権益を脅かしますが、それだけではありません。一企業の不適切あるいは不用意な行為は、9-1で触れた「不安」を増長し、さらには民意が不適切な方向へ誘導されかねないリスクもはらみます。民主主義への脅威であり、社会にとってのリスクです。

重要なのは、データ流通社会でビジネスを営む責任感の下、誤ったデータ処理のリスクは社会全体のデータ利活用を妨げる要因になりかねないことをまずは認識した上で、消費者や市場との信頼という競争優位の源泉としてプライバシーをはじめとするデータガバナンスを育む姿勢です。具体的には、経営者の責任の下でガバナンスに関する企業姿勢を明文化・公表、データ保護責任体制を構築し、有事あるいは新規事業企画、市場や技術変化といった外部環境への対応プロセスを確立するといった取り組みが期待されます。

能動的なコミュニケーションの継続で育む「信頼」

変化する「プライバシー」の概念を念頭においた消費者や市場とのコミュニケーションを継続することも不可欠です。右の図のように消費者から預かったデータをどのように取り扱っていたかを定期的に報告し、プラットフォーム運営にあたっての考え方を公開する方法もあります。場合によっては企画段階からデータガバナンス姿勢と具体的なデータ活用方法を提示し、市場の反応を取り入れながら調整を重ねていくプロセスも有効でしょう。データとプライバシーの「保護」を自明の前提に置きながら、能動的かつ積極的に理想的なデータ活用のあり方を消費者とともに創造していくプロセスは、市場との信頼関係の構築にほかなりません。

データは様々な形で流通し連携し付加価値を高めるため、グループ企業はもちろん、データ授受先やシステム・分析等業務の委託先といったビジネスパートナーとのコミュニケーションも重要です。投資家や業界団体、行政機関も意識すべきステークホルダーといえます。

いずれの手段もそれだけで万全とはいうことはなく、広く消費者や市場、社会と対話を重ね、フィードバックを得ながら改善していく姿勢、フィードバックをサービス改善へ昇華できる力こそが、データ流通ビジネスの明暗を分ける競争優位なのではないでしょうか。

消費者が懸念する情報の積極的な公開例（LINE Transparency Report）

おわりに

一般社団法人データ流通推進協議会(以下、DTA)が本書の執筆依頼をいただいたのは、ちょうど1年前の2019年8月でした。当初予定だけでもデータ流通やデータ活用に関わるできごとは目白押しでしたが、原稿がほぼ揃いつつあった1月、新型コロナウイルスという想定外の災禍が世界を襲いました。そこで2020年3月を予定していた出版を約半年延期し、極力アフターコロナ、ウィズコロナ時代に沿った内容を加筆することにしました。

もともと予定されていた個人情報保護改正や情報銀行認定基準の改定に加え、新型コロナウイルスはデータ活用の重要性と課題を社会のあらゆるレイヤーで再認識させました。データとデータ、データと制度、データと制度とシステムがデジタルにつながっていないためにもたらされる社会的損失を、私たちは目の当たりにしたのです。防疫・公衆衛生や国民と企業向けの行政サービスはしばしば滞り、行政や医療従事者の負担は甚大でした。

他方、もはや待ったなしの社会課題としてデータ活用が再認識された点では、「データ提供者が安心して、かつスムーズにデータを提供でき、またデータ利用者が欲するデータを容易に判断し収集・活用できる」社会を目指してきたDTAの役割と責任に対する想いを新たにする時間でもありました。デジタル・ガバメントの取り組みを妨げてきたハンコ問題の解決へ向けた動きが一気に加速し、遠隔医療やリモート学習、時差通勤や在宅ワークと多様な働き方といった政策は想定以上に普及・定着しそうです。給付金申請で注目が集まったマイナンバー、マイナンバーカードの利活用へ向けた議論も活性化し、国民にとっての本質的な便益提供に今度こそ期待がかかります。人流データビジネスはパーソナルデータ活用に対する一定の社会受容性を形成しました。接触確認アプリCOCOAは、行政と国民が信頼のもとで直接デジタルにつながるきっかけになるかもしれません。

こうした予期せぬ変化に対応し、私たちDTAの取り組みもまた一段高い視座へ変化しようとしています。例えば2020年4～5月はWEBデータ流通推進フォーラム『データ活用と連携でコロナと戦う』全13回を連続開催し、のべ2000人近い産学官民有識者・実務者およびデータの力を信じるみなさまと熱い議論を重ねました。同フォーラムをふまえ、データが活用されない社会の課題を、社会インフラとしてのインターネット、医療と公衆衛生、教育、不動産、働き方といった領域ごと、またパーソナルデータとマイナンバー、医療データ、オープンデータなどのデータごとに整理し、政策提言にまとめています。提言はコロナ時代のデジタル田園都市構想「デジタルニッポン2020*」に反映されるとともに、7月には講演会を開催してその趣旨を広くみなさまと共有しています。

他方、ウィズコロナという前提が加わったSociety 5.0の実現には、データ流通全体のアーキテクチャ、アーキテクチャをふまえたデータのルールや標準が不可欠です。文中でとりあげたように、DTAはこれまでも組織内に閉じた活動に限定せず、国内外の多様なステークホルダーと協調してその歩みを進めてきましたが、一層の加速を目指し7月にはdataex.jp設立準備協議会での協議に参加しました。一般社団法人官民データ活用共通プラットフォーム協議会、一般社団法人日本IT団体連盟、一般社団法人オープン&ビッグデータ活用・地方創生推進機構、大学共同利用機関法人情報・システム研究機構国立情報学研究所 サイバーフィジカル情報学国際研究センターおよびDTAの5団体が集結し、技術面・制度面・人材面で産官学の英知を結集して分野を超えて持続可能なデータエコシステム「dataex.jp」を構築することを目指した協議が進められています。

コロナという想定外の変化を経て、一段高い視座でデータ流通の重要性をかみしめる今、本書を世に送り出せることは望外の喜びです。

文中で繰り返しお伝えしたように、データを扱うためのシステムやデバイス、流通や処理に関わる技術は大きな変化を遂げてきて、そしてこれからも変化を続けていきます。IoTやセンサーデータなど新しいリアルデータが登場する一方、クラウドやAIのおかげで膨大なデータの処理コストは劇的に下がりました。業務処理システムや産業の壁を超え、データを活用できる社会へ向けた変化です。その変化はデータ寡占や偏りのない処理を実現するためのより膨大なデータの必要とトレーサビリティ、パーソナルデータの取り扱いやプライバシーガバナンスといった制度やルールの新たな変化を求め続けます。

他方、データ活用を大前提とするSociety 5.0へ向け、変化しないこともあり

＊**デジタルニッポン2020**：https://dn2020.jp/

ます。それは、データを扱う技術ではなくデータそのものがつながりやすいこと、そしてデータ流通社会参加者一人ひとりの、信頼を深めていくための努力です。執筆を始めてから体験した大きな変化は同時に、社会基盤としてのデータ流通の役割の普遍性—変化しないこと、変化してはならないことを再認識させたのです。DTAは、様々なレイヤーでの変化を前提にしながらも、データがつなぐ絆と信頼、守られる安全という変化しないミッションをかみしめ、明るいデータ流通社会の創造に貢献してまいります。

本書は、法制度や技術の専門家ではない読者を想定し、データ活用の現在地と展望に関する極力新鮮な情報をまとめています。手に取ってくださったみなさまに、新型コロナウィルスがもたらした大きな社会変化の渦中で変化しないデータ流通の役割と本質、そしてDTAの想いをお伝えできれば幸いです。

最後に、本書の出版にあたり取材協力、レビューや素材提供、また編集でご協力いただいたみなさまに、心よりお礼申しあげます。本当にありがとうございました。

2020年8月

一般社団法人データ流通推進協議会
著者一同

索引

INDEX

数字

A・C

D

E・F

G・I

J・K

M・N・O

索引

P

S・T

V・W・X

あ行

か行

さ行

た行

な行・は行

ま行・や行・ら行・わ

●監修

一般社団法人データ流通推進協議会（Data Trading Alliance：DTA）

2017 年 11 月設立。内閣官房情報通信技術（IT）総合戦略室、総務省、経済産業省におけるワーキンググループの検討をふまえ、データ提供者が安心して、かつスムーズにデータを提供でき、またデータ利用者が欲するデータを容易に判断して収集・活用できる技術的･制度的環境を整備する活動を行っている。2020 年 8 月現在、120 の企業･団体・個人が会員として参加。
https://data-trading.org/

●著者

杉山　恒司（すぎやまこうじ）　第 1 章、第 2 章担当

株式会社ウフル　Chief Data Trading Officer（CDTO）
一般社団法人データ流通推進協議会　理事
大手通信事業者 IT 部門にて約 16 年間システムエンジニア、システム営業、新規事業開発等を担当。その後、IT 系ベンチャー企業の経営や、個人として複数企業の顧問、アドバイザーに就任。2012 年にウフルに入社し、開発部門長、人事総務部門長、営業部門長、アライアンス部門長、IoT 事業の立ち上げを行い、Chief Data Trading Officer（CDTO）に就任。

佐藤　友治（さとう ともはる）　第 3 章担当

一般社団法人データ流通推進協議会　上級研究員
法政大学法学部を卒業。大学在学中のコンピュータ雑誌でのアルバイトからコンピューター分野とインターネット、セキュリティ及び社会制度周辺業務に 35 年以上関わっている。大学卒業後、外資系大手 IT 企業の通信網技術開発、フリーランス、インターネット総合研究所などを経て、インターネットとセキュリティ関連業界団体の様々な活動業務を担当。JPNIC 主催 Internet W eek プログラム委員、NPO 日本ネットワークセキュリティ協会　幹事及び技術部会長、財団法人インターネット協会 主幹研究員、情報処理技術者試験　試験委員など。

清水　響子（しみず きょうこ）　第3章、第4章担当

一般社団法人データ流通推進協議会　研究員
法政大学院イノベーション・マネジメント専攻MBA、WACA上級ウェブ解析士。CRMソフトのマーケティングや公共機関向けコンサルティング、IMI情報共有基盤の運営・普及などを経て、現在はDTA及びオープンデータ関連の活動を通じてデータ流通の基盤整備、活性化を目指している。著作に情報処理推進機構「データの相互運用性向上のためのガイド」、IT Leaders「知っておいて損はない 気になるキーワード解説」、「データ流通市場の歩き方」など。

加瀬　友也（かせ ともや）　第5章担当

三井住友海上火災保険株式会社　デジタル戦略部
慶應義塾大学大学院システムデザイン・マネジメント研究科卒業後、三井住友海上に入社。内閣官房情報通信技術（IT）総合戦略室へ出向し、我が国のIT戦略立案やデータ流通・活用推進に従事。帰任後は国内外のスタートアップや大学などとのアライアンスを通じたオープンイノベーションを推進するとともに、スタートアップなどへの事業投資を目的としたファンドの運営を担当。

築山　万里沙（つきやま まりさ）　第6章担当

富士通株式会社　デジタルビジネス部　マネージャー
慶応義塾大学経済学部卒業後、富士通株式会社に入社。金融機関をはじめとする顧客とともに、ブロックチェーンやAI、データ流通の先行研究・ビジネス企画に取り組む。「データ駆動型社会の到来と信頼性」（『一橋ビジネスレビュー 2019 年冬号』）、『金融ジャーナル 2017 年 12 月号』寄稿、セミナーインフォ講師など。

眞野　浩（まの ひろし）　第7章担当

一般社団法人データ流通推進協議会　代表理事（事務局長）
一般社団法人官民データ活用共通プラットフォーム協議議会　社外理事
EverySense,Inc. C.E.O/ エブリセンスジャパン株式会社　代表取締役
2014年シリコンバレーでEverySenseを創業しIoT情報流通プラットフォーム（特許第5951907号（P5951907））を開発。国内ではエブリセンスジャパンとして事業展開中。企業経営の傍ら、無線通信、インターネット、データ流通などの分野において国内外で標準化、政策提言などに従事。DTAの発足を提唱・リードし、2017年11月理事、2018年より現職。内閣府戦略的イノベーション創造プログラム（SIP）AIホスピタルによる高度診断・治療システム担当SPD、トリノG7 ICT大臣会合のI-7 Innovators' Strategic Advisory Boardメンバーなど。工学博士。

齋藤　慶太（さいとう けいた）　第8章担当

エブリセンスジャパン株式会社
神戸大学経済学部卒業。専門は、中国経済・計量経済学。学部4年間のうち、1年半を北京と上海で留学生活で過ごすとともに、現地のゲーム会社や日中スタートアップ&イノベーション支援プラットフォームにて長期インターンを経験。大学学部卒業後、エブリセンスジャパンに入社。

若目田　光生（わかめだ みつお）　第9章担当

株式会社日本総合研究所 リサーチ・コンサルティング部門 上席主任研究員
一般社団法人データ流通推進協議会理事
NECにて、金融機関向けサービス事業、全社ビッグデータ事業の立ち上げに従事。AIやデータ利活用の推進に従事する一方、プライバシーや人権課題の重要性を強く認識して専門組織を立ち上げ、社内外への発信・啓発・政策提言を行う。現在は、経団連やDTAなどの活動を通じ国のデータ流通政策に関わるとともに、日本総研において官民データ流通に関するコンサルティングに従事する。

栗田　和則（くりた かずのり）

株式会社インテック 先端技術研究所
一般社団法人データ流通推進協議会　技術基準検討委員会副委員長
国際標準電子メールシステム、EDIシステムの導入・運用に携わった経験を活かし標準化活動に参画。次世代電子商取引推進協議会WG委員、GS1Japan・流通BMS協議会、酒類・加工食品業界の標準化活動、など。現在、情報プラットフォーム事業に関する研究・企画に従事。

図解入門ビジネス 最新 データ流通
ビジネスがよ～くわかる本

発行日　2020年　9月20日　　第1版第1刷

監　修　一般社団法人データ流通推進協議会

発行者　斉藤　和邦
発行所　株式会社　秀和システム
〒135-0016
東京都江東区東陽2-4-2　新宮ビル2F
Tel 03-6264-3105（販売）　Fax 03-6264-3094
印刷所　三松堂印刷株式会社　Printed in Japan

ISBN978-4-7980-6040-8 C0033